AUDRONĖ URBONAITĖ

posūkyje – neišlėk

NOVELIŲ ROMANAS

VILNIUS 2005

UDK 888.2-3
     Ur27

ISBN 9986-16-437-0

Kadaise ir aš buvau nekalta, ir jūs turite tuo tikėti, nes nelogiška, kad vos pastypusi mergaitė būtų kalta.
Bet apie tai skaityti geriau pradėti nuo 60-ojo puslapio.

PAGUODOS TELEFONAS

Vieną žnaibantį sausio vakarą Virginija Žolytė paskambino paguodos telefonu, nes jau buvo įveikusi aukščiausiąją savęs gailėjimo stadiją – verkimą.

Nė velnio nepadėjo.

„Kuo skundžiatės?"

„Nepatiriu taurių jausmų".

Kitame laido gale sukikeno. Bet Virginijos Žolytės nė iš tolo neėmė juokas.

Kitame laido gale susigriebė: „Pasakokite, pasakokite".

„Klauskite, – tarė Virginija Žolytė. – Dirbate jūs".

Kitame laido gale patylėjo. Juk negalėjo žinoti, kad skambina tik Virginija Žolytė, kuri ničnieko negali.

Akivaizdu – nežinojo ir to, kad skambina pati Virginija Žolytė, kuri retsykiais gali daugiau nei viską.

„Butą turite?"

„Turiu".

„Vaiką?"

„Taip".

„Vyrą?"

„Nežinau. Kartais atrodo – lyg ir turiu".

„Meilužį?"

„Bet..."

„Vyriškį, kuriam periodiškai paklojate sielą, turite?"

„Taip".

„Tai ko norite?"

Tyla. Draugiškai šnopuojama.

„Išsilavinimas?"

„Baigiau vidurinę garbės lentoje. Universitetą irgi, deja".

„Kodėl „deja"?"

„Garbės lentoje".

„Na, ir kas?"

„Girdėjote apie jonėnų ir dorėnų kolonas? Aš irgi. Kuo skiriasi, išvardyti negaliu.

Nesistebiu, kad troleibusas važiuoja, bet veikimo schemos paaiškinti nemoku.

Apie Sartrą išgirdau sulaukusi dvidešimt trejų. Labai nuliūdau, kad Sartras, man net nežinant, jau patyrė tai, ką išgyvenu kasdien: idėja svarbesnė už gyvenimą.

Nemėgstate Sartro? Nekreipkite dėmesio – nieko daugiau apie jį pasakyti negaliu.

Daugelį dalykų knieti iliustruoti pačia savimi, kad patikrinčiau principą, bet patikrinusi suvokiu: man reikia ne to".

„Jūs nepatenkinta savo išsilavinimu?"

„Išsilavinimu? Aš nepatenkinta, kad visą gyvenimą darau ne tai".

Pauzė. Tyla. Už lango pokši šaltis.

Jeigu anos pusės galimybės pasakyti ką nors esmingesnio pasirodys beviltiškos, Virginija Žolytė liks viena naktyje su perkaitusiais radiatoriais, sausinančiais orą iki čiaudulio.

Reikia gelbėti padėtį pačiai.

„Kai maniau, kad esu ypatinga, gyventi buvo lengviau".

„Dabar nemanote?"

„Ne".

„Ir kaip?"

„Neypatingų žmonių gyvenimas susideda iš daugybės labai svarbių niekų.

Norite pavyzdžio? Mano sėdynė per plati paauglės krūtinei, ir nuo kompleksų esu priversta gelbėtis kliošiniais sijonais.

Užtat galiu nustebinti gyvenimo nuojauta kalbantis dviese. Ir man tai svarbu. O kuriai nesvarbu per plati sėdynė? Arba dviejų pokalbis.

Baigiu paskęsti sijonuose ir pokalbiuose.

Dar pasitaiko rytų, kai topteli galvon originalių minčių, bet per dieną dosniai ir ceremoningai barstau jas pro šalį srūvantiems žmoneliams, kol iki vakaro lieku be nieko.

Metams bėgant nemaloniau pasijusti be nieko", – išsamiai aiškino Virginija Žolytė.

Ji buvo tikra, kad aname laido gale paslaptingasis „kas nors" jau miega, bet vis tiek negalėjo liautis.

„Visąlaik maniau, kad taip tik kol kas: kol gyvenu pas tėvus ir negaliu iš jų ištrūkti – daug laiko suryja barniai ir elgesio motyvų aiškinimas namiškiams".

„Man irgi taip buvo..." – nuoširdžiai atsiduso anoj pusėj, bet tuoj susigriebė – tie, kurie padeda, negali guostis patys.

Bet universitete buvo nuobodu.

Suolai dulkini. Musės zyzia. Nuo ilgo sėdėjimo maudžia nugarą, plečiasi strėnos, o galva tuštėja.

Ir net moko visai ne to.

Laimė, taip klojasi kol kas. Gali nekreipti dėmesio į nereguliarų maitinimąsi ir trumpam atidėti svarbius darbus – kol viskas apsitvarkys.

Palaigyti po teatrus – tarp kitko. Pasitrainioti prie bažnyčių ir kitų architektūros ansamblių – irgi tarp kitko.

Yra visokių būdų kaip nors išgyventi nuo–iki. Išgyventi padeda viltis, kad šitai greitai baigsis.

„Kodėl nedarote to, kas jums svarbiausia? Gal nežinote, kas tai yra?"

„Kol kuriu sprendimus, puikiai suvokiu, ko tikiuosi.

Bet ateina metas daryti, kasdien monotoniškai daryti, ir sprendimų sukeltos emocijos išblėsta, nuvilnija. Lieka tik miglotas ir neaiškus ketinimų prisiminimas.

Taip atsitinka su daugeliu dalykų, ir aš nuoširdžiai graužiuos.

Kartais dėl to negaliu miegoti: skauda galvą, turiu temperatūros ir trokštu sistemos.

Kartais labiau norėčiau nusipirkti kailinius".

„Ar pagaliau ko nors ėmėtės? Juk negalėjote toliau taip gyventi?!" – po vidurnakčio balsas kitame laido gale tapo suirzęs.

Gal šią naktį tikėjosi prigulti ant valdiško minkštasuolio.

„Nutariau prisiplėšti dvasios iš šalies".

(Pasaulio akyse būkim stiprios. Pasikliaukim tiktai kitais ir juose ieškokim atsakymų į svarbius savo pačių klausimus.)

Drauge, tikiu: tu gali padaryti, kad po dienos triūso į vakarą nepavargčiau. Tu gali išvaduoti iš monotonijos. Iš tinginystės. Iš baimės.

Tu gali padaryti, kad nelytų lietus: per lietų man duria širdį. Kad nesikamuočiau dėl pro pirštus slystančio savo laiko.

Kad nevargintų viltys. Kad nebūčiau irzli prieš menstruacijas.

Tavo misija – su manim dėl manęs už mane išsiaiškinti, kas man yra svarbiausia.

Balsui anam laido gale Virginijos Žolytės išvedžiojimai pasirodė pernelyg painūs.

„Tai ištekėjote?"

Balsas buvo įsitikinęs, kad pasiteiravo sąmojingai. Virginija Žolytė supyko.

„O ką galėjau sugalvoti protingiau?"

(Galas karštligiškam dykinėjimui! Važiavimas troleibusu nuo šiol bus prasmingas.)

„Na, ir?.."

„Anyta pirmoji atrado, kad nesu genijus. Labai keista: nė kiek manimi nesidžiaugė".

„Na, ir?.." – pakartojo aname laido gale.

„Beviltiškai liūdna lipdyti iš mėsos kotletą, nes rytoj, vėliausiai poryt, vėl reikės daryti tą patį. Ir truks be galo ilgai, ir sukels tik beprasmį nuovargį.

Jaučiu, kad eikvoju jėgas veltui, nes sugebu gerokai daugiau, negu kepti kotletus".

„Bet valgyti jums reikia?" – smalsiai pasiteiravo.

„Maniau, kad ir vyrams reikia...

Nuosavoj virtuvėj man kyla noras protestuoti.

Bejėgiškumas žeidžia mano orumą: jei turi ūpo, rėk visa gerkle, kad esi nepatenkinta, – niekas nekreips dėmesio, kad niekaip negali priprasti prie tokios tvarkos".

„Prie tvarkos ruošti valgį?"

„Pasakoju jums pojūčius. Nepasitenkinimo visai nėra kur dėti, nepasitenkinimas niekada niekam nereikalingas".

Pyptpyptpyptpyptpyptpyptpyptpypt. Kažkam išsprūdo ragelis.

Prie košė apkrėsto stalo prilipo iš žurnalo iškirpta Viurmsero recenzija apie vieno prancūzo romaną:

„Ko tik nerasime šiuose užrašuose: daugybė citatų iš Montenio, jų komentarai, aforizmai Montenio maniera, pastabos apie giminaičius, draugus.

Kai kurių gyvenimo epizodų prisiminimai, mintys apie literatūrą, dailę, socialinę kovą Prancūzijoje, pokalbiai su gydytoju, žmona, dukterimi..."

Pabaigos Virginija Žolytė negalėjo įskaityti – košė priskreto. Kai pabandė ją nukrapštyti nagu, nuplėšė su visomis raidėmis.

Tada vėl ėmėsi plauti kūdikio buteliuką ilgu šepečiu, taškydama pienuotus purslus ant sienų ir sau į akis.

Į duris pasibeldė (skambutis juk sugedęs, o sutaisyti nėra kam).

Virginija Žolytė atidarė ir įleido Montenį. Tuo metu jis dar nebuvo išspausdintas lietuviškai, ir ji negalėjo žinoti, kokio didumo jis filosofas.

Bet Monteniui, poliglotui europiečiui, nieko nereiškė apšnerkštą virtuvę sudrebinti lietuviškom sentencijom.

„Kas yra svarbiausia?" – griausmingai paklausė Montenis, bet jo šypsena atrodė lipšni.

„Jokiu būdu negyventi atsitiktinai: pripuolamai paskaityti, pripuolamai iškalti kelis lotynų veiksmažodžius.

Nenoriu kišti sau ir diegti savo vaikui to, ką atsitiktinai primeta aplinkybės", – įsijautusi kalbėjo Virginija Žolytė.

Virtuvėje dvokė neišneštas šiukšlių kibiras.

„O!" – Montenis žaviai šypsojosi.

„Noriu gyventi harmoningą gyvenimą. Aprėpti visumą".

„O!" – pakartojo Montenis.

Jis atrodė geraširdis. Ji iškart juo patikėjo ir tapo visai atvira:

„Bet smulkmenos vis vien atima begalę laiko, viską užgoždamos. Per smulkmenas net pamirštu norą gyventi harmoningą gyvenimą ir jį aprašyti".

Montenis pasilenkė prie recenzijos iškarpos apie garsųjį prancūzo romaną.

Jam buvo įdomu, kokiame kontekste jį cituoja. Virginija Žolytė svarstė, kokiame kontekste bus cituojama jinai.

Ant viryklės sušnypštė pienas.

„Ak!" – sušuko ji ir strimgalviais puolė gelbėti pieno.

Skubėdama atsimušė į Montenį, metė „pardon", bet lėkdama vis dėlto spėjo užuosti, kad prancūziška kosmetika vyrams labai malonaus kvapo.

„Mergaite, svarbiausia ne aprašyti harmoningą gyvenimą, o sutvarkyti savąjį", – šypsodamasis tarė Montenis.

„Ak!" – sušuko ji dar sykį, jau įtūžusi.

Tegu sau bėga tas velnio pienas, jei net humaniškasis Montenis samprotauja kaip sutuoktinis!

O ji net pamanė, kad iš jo galėtų išeiti supratingas meilužis.

Virginija Žolytė apmaudžiai suglamžė žurnalo iškarpą ir išsviedė už durų su visu Monteniu – galantišku, turtingu, trykštančiu sveikata ir nė sykio negimdžiusiu.

„Man nosytė bėga, – atšliurpsi šiltas mano vaikas po popiečio miego. – Tu man ją iššnypšk".

„Aha".

„Nežinau, kaip ta Danutė sūdo silkę... Ot skani buvo – minkšta, riebi kaip lašiniai, tik nežinau, ar vandeny laikė, ar sūryme", – išrypuoja savo rūpestį mūsų bobulytė, įsirėminusi tarpdury.

Rūpestis, didesnis už senatvę, susuko sklerozės apimtą galvą.

„Tu rašyk, o aš raišiosiu virvę mazgais", – siūlo mano sūnus ir išsitiesia ant tų pačių grindų, prie kieno gi kito, jei ne prie mano šono.

„Mano darbas jau baigtas, mama, o tavo?"

„Palauk".

„Ko tu, mama, tyli?"

„Gal atneši man laikrodį?" – siūlau jam veiklą.

Jis švytėdamas kuria į virtuvę, įsikūnijęs troškimas bendrauti.

„Duok man laikrodį", – sako bobulytei.

„Kokį veidrodį?" – sprogina akis toji, atplėšta nuo minčių apie silkę.

„Ne veidrodį, sakau tau – ne veidrodį!" – grasina mano sūnus, bijodamas, kad laikrodžio negaus.

„Eik šalin", – piktai gina jį iš virtuvės bobulytė.

Nusivylimas didelis didelis – didesnis už uogienės dėmę ant pilvo.

„Užpakaliuko tau, mama, neskauda?" – klausia sugrįžęs be laikrodžio.

„Ne".

„O nugarytės neskauda?"

„Ne".

„Tik galvytę tau skauda, taip?"

„Taip".

„Mama, žinai ką? Aš truputį noriu labai valgyti".

„A-a..."

„Mama-a..."

„..."

„Tai tu jau daugiau nerašyk".

Tai aš jau daugiau nerašysiu.

„O kokia čia spalva, mama?"

„Balta".

„O kokia čia spalva, mama?"

„..."

14

„Kokia, ma-ma?!"
„Palauk truputį".
„O kodėl palaukti?"
„..."
„Ar gerai, kad aš ant tavęs užlipau?"
„Blogai".
„O kodėl?"
„Todėl, kad spaudi man nugarą".
„Nespaudžiu".
„..."
„O kodėl spaudžiu?"
„Kad sunkus esi".
„O kodėl sunkus?"
„Kad didelis. Ar nulipsi, po velnių, man nuo sprando?!"

„Nuostabiausias žmonijos išradimas yra lova", – pasakė vakare Virginija Žolytė savo vyrui.
„Kodėl?"
„Joje saugu".
„Kvailele, tai tik apgaulingas pojūtis – iš tikrųjų nė kiek ne saugiau negu vidury gatvės".
„Žinau, bet su lova tas pats kaip su vedybomis: moteris teka ne dėl realios vyro paramos, o dėl paramos iliuzijos, bet nesulaukia nei vienos, nei antros".
„Užtat vyrai nežino, kad iš jų nieko dora nesitikima".
„Nėra jokio prieštaravimo: nežino ir nieko žinoti nenori apie moterį, kuri šalia jų. Vyrai eina iš proto tik dėl saviraiškos, o ne dėl tarpusavio supratimo.
Ar žinai, ko aš labiausiai trokštu?"
„Būti žavi moteris, geniali rašytoja, pagimdyti šešis vaikus, keliauti, turėti didžiausią pasaulyje biblioteką ir plokštelių kolekciją, papuošti butą meno kūriniais.

Dvidešimt keturias valandas nieko neveikti, o likusias dvidešimt keturias tos pačios paros valandas sėdėti prie rašomojo stalo. Taip nebūna".

Bet vyras Virginijos Žolytės gyvenime tik tam ir buvo reikalingas, kad padėtų įrodyti, jog taip būna.

Tačiau jis net neketino įrodinėti ir aukoti tam savo brangaus, genialiems darbams skirto laiko.

Iš pradžių Virginija Žolytė nustebo, paskui kiek paverkė ir galiausiai numojo ranka, supratusi, kad ir šį sykį jai reikėjo ne to.

Prieš savo gimimo dieną, kai labiausiai liūdna, – ar svarbu po kiek dienų, savaičių, metų, – ji vėl paskambino paguodos telefonu: nebuvo nė kiek geriau.

Paskambinusi išpoškino:

„Ilgainiui pajutau, kad visa ta kultūra, visi tie kitų žmonių rašymai, aktoriavimas, mažoji ir didžioji grafika, bienalės, trienalės, diskusijos apie dokumentinį kiną arba romano likimą nė kiek nepadeda gyventi.

Net nėra man reikalingos.

Kad neturiu laiko gilintis į tą antrinį tikrovės atspindį, nes skalbiu, verdu, tempiu vaiką į darželį.

Kad prieš konkretų ir begalinį indų plovimą ir vaikiškų pėdkelnių skalbimą visai nublanksta plevenanti beaistrė kultūra.

Kad ji nepajėgia sužadinti tokios neapykantos ir protesto, kokį sukelia buitis.

Kad monotonija, nuobodulys ir nuovargis joje monotoniškas, nuobodus ir pavargęs.

Didinga man tebeatrodo tik senoji muzika, ne visai praradusi savybę taurinti. Bet kada jos klausytis?

Sekmadieniais parymau prie lango: daug žmonių dau
žo kieme kilimus ir nelekia į vargonų muzikos koncertus,
patys nerašo muzikos vargonams ir ramiai eina apsipirkti,
skalambydami tuščiais buteliais.

O kaip nors išsigelbėti dar yra noro.

Dar net nepraėjo noras apžioti kuo didesnį kąsnį, kurį
jaunystėje pati sau neapdairiai pažadėjau.

Man vis dar atrodo, kad nuo manęs šis tas priklauso.

Virpinama to atrodymo, šypsausi, kai kiti skuba.

Nelabai kamuojuosi, kad nespėju padaryti savų darbų.

Man juokinga, kai užklumpa neplanuotos ligos – mane
arba vaiką.

Tik truputį susiraukiu, kai ateina neprašyta draugė ir
doroja mano laiką.

Džiaugsmingai puolu prie telefono, nes jis man dar žada pokyčių ir įvykių. Kai kurių žmonių, mielų ir priimtinų, šnekėjimo galiu klausytis valandą:

„Aš jam ir sakau: negaliu nei važiuoti šimtą kilometrų
parsivežti vaiko iš kaimo, nei čia būti. Nei dirbti, nei nedirbti.

Mane traukia susigūžti ir užsikloti galvą".

„O jis?"

„O jis sako: vaikeli, tau tiesiog artėja menstruacijos. Prisimink, panašiai buvo prieš mėnesį, tik tada troškai sustinti į stulpą".

„O ką tada tu?"

„O aš..."

Dusdama kvatoju, kai draugės vyras pakelia antrojo aparato ragelį ir niūriai sako savo žmonai, mudviem abiem:

„Šnekatės keturiasdešimt antrąją minutę".

Iš tikrųjų? Tai mudvi dar jaunos. Turime labai daug
laiko.

Džiūgauju, kad turiu linksmą draugę. Esu pasirengusi klausytis dvidešimt keturias valandas, jeigu reikės.

Arba dovanoti, ko negaliu dovanoti. Arba padaryti paslaugą, kuri ne mano jėgoms.

Aš esu jauna ir turiu marias laiko.

Prisigėrusi kavos, dirgli ir pakili, žingsniuoju rytą į darbą ir regiu ore parašytus būsimojo kūrinio dialogus – ryškius, matomus ir girdimus.

Jeigu šią akimirką atsisėsčiau ant šaligatvio, parašyčiau visą spaudos lanką.

Bet aš juk viską prisiminsiu: tai mano gyvenimas.

Nenatūraliai padidintas, juokingai sumažintas, blyksi ir plevena, džiugindamas tuo, kad jį galima suimti, suglemžti, pagražinti, sukarikatūrinti ir sukišti į talpų maišą – knygą, kurią dar parašysiu.

Savo gyvenimą prisimena kiekvienas.

Jei prisimenu rytą, atsiminsiu ir po pietų.

Arba vakare. Arba rytoj. Arba po pusės metų.

Nesisėdu gatvėj ant šaligatvio. Mane užkalbina: narstau tarnybos niekus, kurie nieko nelemia ir niekada nelems.

Net su entuziazmu narstau. Įkvėpta. Pakiliai. Ironiškai. Ar gaila, jeigu žmogui svarbu?

O paskui kvatoju. Vaipausi. Mėgaujuosi savo energija.

Aš turiu laiko.

Atiduodu duoklę savo fiziniams potroškiams, mandagumui, motinystei.

Net parašau kelis reportažus laikraščiui, kad neišmestų iš darbo ir kad timptelėčiau į viršų savo profesinį meistriškumą.

Items on Loan

Library name: Armagh
Library
User name: Ms Nina
Stankuniene

Title: Target everything
death nothing
Item ID: C304321017
Date due: 16/8/2017,23:59
Date charged: 26/7/2017,
14:41

Author: Urbonaite,
Title: Resukyje - neislek
Item ID: C900267140
Date due: 16/8/2017,23:59
Date charged: 26/7/2017,
14:41

LibrariesNi
****
Make your life easier
****
Email notifications are sent
two days before item due
dates
Ask staff to sign up for
email

„Tačiau begalinėmis savo galimybėmis tiki laikinai.

Tik kol labai pasikliauji savimi ir nepastebi, kad ir kiti šio to verti, manai: žmonės gali viską (šiokiadieniais leisti sau būti kvailiais, pamaivomis, panorėję viens du nudirbti svarbius darbus, o rytojaus dieną skaudžiai trokšti paguodos, kad nudirbo netobulai, ir tuoj pat, nusipirkę bilietą į lėktuvą, išskristi pietauti į Niujorką).

Nepaisant didelio apetito, viskas klostosi kitaip: pamažu ryškėja nė joks gyvenimas.

Leidi sau ką nors daryti, bet dažniau nedaryti.

Niekaip nepavyksta susižeisti, kad stipriai ir sveikai skaudėtų širdį.

Bloga vienai. Nereikalingi žmonės.

Nieko nemoki gerai. Nežinai išsamiai.

Nesugebi dirbti sistemingai. Energijos užtenka tik šiai dienai, bet ne sumanymams", – ir Virginija Žolytė pasijuto lyg ir šį tą nuveikusi, nes pailso nuo tokio ilgo ir svarbaus savo kalbėjimo į paguodos telefono ragelį.

Nors visi faktai buvo teisingi, padėjusi ragelį svarstė, kas iš pasakyta yra tiesa.

„Tegul jos mylisi pačios su savimi! Tegul atveria širdis pačios sau ir ieško, kam atsiduoti, jeigu neturi kur savęs dėti!" – redakcijoje putoja Ramoška nuo pat ryto.

„?"

„Amžinai lenda: parodyk, ką čia turi? Ką čia skaitai? Veskis, kur eini! Niekinga padermė be savo gyvenimo! Ir dar jomis rūpinkis!" – Ramoška negali liautis.

„Tai kam vedei?" – abejingai klausia kažkas, sklaidydamas agentūrų pranešimus.

„Kvailas buvau", – spjaudosi Ramoška.

Ilga pauzė.

O tuo metu pro redakcijos langą matyti, kaip prie durų privažiuoja autobusas su užrašu „Estrada".

Ropščiasi lauk muzikantėliai, nutaisę nepriklausomų menininkų minas.

Koja už kojos jų link velkasi apsimiegojęs redakcijos fotografas.

Visiems kitiems – spjauti į tai.

Muzikantai grūdasi, rikiuoja vieni kitus alkūnėmis, taisosi kaimietiškus kaklaraiščius, kad nuotrauka mažiausiai skaitomame laikraščio puslapyje būtų kuo dailesnė.

Juokinga.

Moteris lūkuriuoja stikliniame vestibiulyje, nenorėdama vos išėjusi atsidurti kaimo vestuvėse.

Virginijai Žolytei gaila, kad toks išraiškingas moters stovėjimas pražus, jeigu kas nors neaprašys jo popieriuje.

Ji svarsto, ar įgytų didesnę vertę išraiškingas ir ant popieriaus užrašytas stovėjimas.

Redakcijoje šnekama toliau:

„Tai kas atsitiko?"

„Rodžiau žmonai šio numerio nuotraukas ir palikau namie ant šaldytuvo, – sklaidosi Ramoška, neįstengdamas numaldyti įniršio. – Pasiust galima per tas nė velnio nenusitveriančias bobas!"

Virginija Žolytė viską girdi.

Šviežia galva – ne kiaulės galva ant prekystalio.

Šviežia galva – tai laikraščio skyriaus redaktorius, budintis spaustuvėje dieną prieš išeinant numeriui ir skaitantis tekstą po korektoriaus, kad išgraibytų klaidas, kurių vis tiek lieka.

Ramoška atlėkė į spaustuvę, nors nebudėjo, ir įrašė kelis sakinius keliose savo straipsnio vietose, tuo įsiutindamas visus raidžių rinkėjus ir laužytojus.

Sakiniai nekeitė esmės, bet buvo gyvybingi ir gražūs.

Kas rašo, žino, kaip mažai lemia gyvybingas ir gražus sakinys laikraštyje. Niekas netiki jo amžinumu.

Manyje nėra spyruoklės, kuri sprygtelėtų mane per visą miestą į spaustuvę, kai neprivalau ten būti.

Aš nežinau sakinio, kuris suteiktų drąsos susiremti su visu nepraustaburniu cechu.

Tačiau ir mane kamuoja mintis, kas bus, jei taip ir nesugalvosiu to sakinio.

Ką praras pasaulis, jei – nesugalvojusi – netyčia papulsiu po mašina su visa savo standartine ir ant popieriaus neužrašyta patirtimi?

O akla nesu: kiti ramiai (ar tikrai ramiai?) eina į svečius, priverčia atnešti arbatos, paskui plauti puodelius.

Nuėję aptarinėja savo patirtį, visai nemanydami, kad jų žinojimą ir išmintį privalu paversti nauja kokybe.

Kai atsigrūda pas mane, atleidžiu tiems, kurie atėjo neprašyti, bet pasakė ką nors, apie ką galima galvoti.

Leptelėjo šiaip sau, net nemanydami, kad tai gali būti paskata rašyti.

Tačiau kai sėdu prie rašomojo stalo ir bandau įveikti tai, ką žinau, patiriu nuobodulį.

Prarandu visus aštrius pojūčius ir svaiginamą gyvenimo nuojautą.

Sekmadienio vakare pastebiu, kad rytdienai neturiu švarių drabužių per savo beviltišką rašymą.

Visa tai ilgai ir išsamiai aiškinu Ramoškai.

Juk visiems reikia žinoti, kas kaip atrodo, kai paaiškėja, kad rašyti būtina, bet metų metus vis nerašai.

Ramoškai greitai nusibodo klausyti:

„Kai turi pakankamai laiko kūrybai, nėra apie ką rašyti. Tokia jau kūrybos prigimtis".

Staiga jį nušviečia smagi mintis:

„Moterys daug kalba todėl, kad iš savo ypatingo, vyrams nepasiekiamo žinojimo nieko nesugeba sukurti!" – šią akimirką jis kerštauja visoms moterims, kada nors trukdžiusioms jam dirbti.

O paskui ir toliau metų metus kaip meteoritas laksto po redakciją ir svaido žiežirbuojančius sakinius.

Nors turėtų periodiškai stabčioti ir aptarinėti su visais, ar reikšminga tai, ką jis daro.

Vieną dieną jį parmuša pradedančioji vairuotoja perėjoje prie redakcijos.

Niekas niekada net neprisimena jėga kunkuliuojančių Ramoškos sakinių.

Bet neveiklumas – ar jį pripažįstame, ar ne – iš tikrųjų gali pražudyti.

Ir jam įveikti sąjungininkų vis tiek reikia.

Virginija Žolytė nutarė baigti chaotišką gyvenimą ir, partempusi iš darželio knerziantį vaiką, sumetė, kad šitaip praėjo ši diena, praeis rytdiena ir visas gyvenimas.

Pribrendo laikas pačiai šį tą reikšti.

Įstūmusi vaiką bobulei į glėbį, išėjo pas netekėjusią draugę filologę, kaip ir visi žmonės privalančią trokšti prasmingo gyvenimo.

„Sveika, brangioji! Kuo užpildai laisvą pusdienį?" – tai turėjo skambėti ironiškai.

Bet masyvi draugė atsakė, kad valo tėvų ir brolio prišnerkštą virtuvę, skalbia, lygina ir nusitveria kitų darbų, kurių visada apstu kiekvienuose namuose.

„Bet man negaila gyvenimo – tegul sau eina", – sakė draugė, lupdama obuolio žievę.

Klausydamasi nejutau, kad tampu laimingesnė.

Klausydamasi vis labiau irzau, kad nepavyksta gyventi vienai, niekieno nepalaikomai.

„Jaunystėje visi mano, kad gali apsieiti be žmonių", – sako draugė.

Jos virtuvėje tvyro prietema. Virtuvė prižiūrima rūpestingai. Virtuvėje yra kavos ir nereikia tuoj pat pradėti rašyti.

„O pasirodo – nė velnio: dešimčiai rublių pasiskolinti – net tam reikia žmonių", – abejingai tęsia draugė.

„Ir aš jaunystėje labiau pasitikėjau savimi. Tiktai savimi ir pasitikėjau. O kitus niekinau, nes visada žinojau, ko noriu, o jie – ne", – sakau aš.

„Ko tu nori?"

„Parašyti knygą".

„Kam jos reikia?"

„Kas vyksta, nieko neverta, jei iš to neatsiranda nauja kokybė".

„Ko nors vertesnio už patį gyvenimą nesukursi".

Bet man labai juokinga: rytą velkuosi uniformą, pinuosi kasą ir drožiu mokyklon parsinešti penketų, gautų ne už mokymąsi, o už atmintį. Ar tai – gyvenimas?

Vertingiausia, ką ten aptikau – grimasos. O, kaip vaipiausi širdyje, tyromis akimis žvelgdama tiesiai į veidus!

Vieniems trūko grožio, kitiems atlaidumo, treti bijojo mokinių ir gynėsi šiurkštumu.

Nieko neprisimenu iš vadovėlių.

Niekas netvirtino, kad žmogus nuo jaunumės privalo sava valia niekieno neverčiamas tikslingai dirbti. Ar patys nežinojo?

Aiškinimuose nė sykio nesublyksėjo mintis. Negirdėjau erezijų, kurios ir žadina mintį.

Patogi buvau mokinė: viską, kas privaloma, mokėjau ir beveik nieko neklausinėjau.

Baili nekentėja kažko: neprotingų veidų ir negražių eisenų, priklausomybės, santūrumo.

Santūrūs atrodė buki. Abejingus maniau esant psichiškai nesveikus.

Entuziastų akivaizdžiai trūko tarp mokinių, o juo labiau – tarp mokytojų.

Suaugusiųjų poelgiai, judesiai, reakcijos buvo stulbinamai kvaili, isteriški, neatitinkantys situacijos.

Klestėjo niekuo nepagrįsta puikybė, plepumas, nenuoseklumas.

Aplink vaikščiojo išoriškai negražūs ir jokios pasaulį keičiančios veiklos nemokantys žmonės.

Ar tai ir yra gyvenimas?

O paskui – dar gražiau: mano tuščiažiedės penketais nubarstytos studijos.

Jos svarbios tik tuo, kad išvažiavau iš namų ir atsikračiau uniformos, kasos pynimo, slapto pasaulio nekentimo, slaptos savo didybės ir bedugnio liūdesio.

Pradžios ir pabaigos, metų laikai, išsigalvoti simboliai nustojo kankinę: ėmė kankinti kūnas ir pažinimo šišas.

Norėdama pažinti viską, neįstengiau pažinti nieko.

Norų didumas, svarbumas ir nekonkretumas. Puiku mokėti norėti, puiku net nesuvokti, kad reikia nors pabandyti dirbti.

Ar tai – gyvenimas?

Mano draugė bosu atsako:

„Jei atsirastų vyras, kurio samprotavimų galėčiau klausytis be ironijos ir dar norėčiau su juo miegoti, – va ir būtų gyvenimas.

Būčiau boba ir gimdyčiau vaikus. Tvarkyčiau kambarius,

barčiausi su vyru, paskui taikyčiausi..." – monotoniškai tęsė draugė.

„O paskui tau atsisuktų va čia, – Virginija Žolytė pirštu parodė kur. – Ir važiuoti troleibusu atrodytų šventė – kad tik ne keturios sienos ir ne puodai!"

„Tai kad ir dabar aš kartais važiuoju po du ratus aplink miestą. Paskutinėje stotelėje atsiranda vietos, atsisėdu prie lango, niekas nejudina, mėnesinis rankinėje...

Ir važiuoju, kad nereikėtų grįžti namo".

„Vadinas, žinai viską, ką žino ištekėjusi moteris, – gali ir netekėti".

Šitas pokalbis vyko ilgai, skausmingai, su pertraukomis, pauzėmis, cigaretės dūmais (rūkė netekėjusi draugė).

Virginija Žolytė dar bandė vadinti ją pasivaikščioti, bet ši atsakė, kad kruvinai nusitrynusi kulnus, todėl negalinti.

„Kuo tu nepatenkinta? Daryk, veik ką nors, rašyk, jeigu tau reikia, – siūlė draugė, nes norėjo būti dosni. – Viską juk turi: butą, vyrą, vaiką..."

Virginija Žolytė išsamiai aiškino, jog ne taip paprasta padaryti, kaip pasakyti, kol jai visai pagedo ūpas.

Per tą laiką stojo naktis – bjauri, purvina, nuobodi.

Virginija Žolytė leidosi tamsiais draugės namo laiptais žemyn, jausdama dubenyje užsistovėjusį kraują.

Trečiame aukšte pabandė įjungti šviesą, bet raktu pataikė į nulaužtą jungiklį, ir ją papurtė elektra. Nieko neatsitiko, tik išsigando.

Paskui parbėgo per balas ir gatvės purvą, lenkdamasi žibintų šviesos ir vėlyvų girtuoklių, o rytą vėl išėjo į redakciją.

Kitą dieną, o gal po savaitės, masyvioji draugė atėjo pas Virginiją Žolytę, savo idealą – bobą, turinčią vyrą ir vaikų.

Dabar man labiausiai reikėtų kloti lovas, šūkauti sūnui iš virtuvės į vonią:

„Vytautai, ar jau nusiprausei?!"

Ir drebėti iš įsiūčio, kad dar ne.

Buvau pasirengusi mokytis mokyti sūnų savarankiškai praustis, neiti į vonią ir nepratrūkti:

„Kiek gali kuistis?!"

Bet virtuvėje įsitaisė nekviesta mano draugė, primindama visų ketinimų sąlygiškumą.

Vaikas kaip niekur nieko cimpina į vonią, brūžindamas šlepečių padais. Mano draugė jo ketinimų nesugriovė.

„Šeštadienį važiuoju į mišką. Važiuojam grybauti", – pilna burna vograuja mano draugė, jau spėjusi susikišti riebią spurgą nuo virtuvės stalo.

Mano vaiko spurgą, kurią jis turėjo užgerti pienu. O parduotuvė jau uždaryta.

Į mišką? Į kokį mišką? Kodėl grybauti?

Kuo susijęs miškas su ketinimais parašyti knygų knygą, tuo pačiu metu pratinantis nerėkti ant vaiko, jeigu vieną koją nusiplauti jis pamiršo?

Penkiolika minučių, mano draugės be ceremonijų pasisavintų iš mano dienos, atėmė galimybę visavertiškai kaupti pyktį virtuvėje ir klausytis, kaip kliokia vanduo vonioje.

Penkiolika minučių man primena, kad beveik nieko neveikiu mėnesių mėnesiais.

Išskyrus: einu į tarnybą, skalbiu, verdu, lakstau į parduotuvę, skalbyklą, darželį.

Vytautas vonioje kuria dainelę:

„Ata-ta, tu kvaila,

Tu višta!.."

Kad būtų įspūdingiau, spardo skardinį dubenį.

„Ne, gaidys, – sako. – Gaidys – kvailys!“ – rėkia pagalvojęs.

Jeigu nebūtų draugės, jis darytų tą patį.

„Po velnių, neleisk taip smarkiai vandens!“

„Tu blogai nusiteikusi“, – sako draugė.

Blogai?

Bet juk turėjo vieną sykį išaušti didžiojo rašymo, svarbiausio gyvenimo darbo, diena.

Laimė, tai pasitaikė sekmadienį, kai visi išsinešdino iš namų.

Virginija Žolytė įkvėpė oro ketindama pradėti, bet netyčia pastebėjo, kad viena akvarelė patupdyta ant sienos kreivai.

Ji taukštelėjo plaktuku viniai.

Prie vyšninio vaiko megztinio reikia numegzti vyšnines kelnes.

Ir ji atsinešė siūlų prie krėslo, vienintelio namie, suprasdama, kad būtina numegzti tas kelnes.

Paskui spragtelėjo šviesą vonioje ir netyčia atsiminė, kad rengėsi skalbti staltieseles iš virtuvės. Užmerkė jas.

Greitai iškraustė daiktus, parsivežtus iš komandiruotės, ir dėliojo juos į vietas, labai stebėdamasi, kad niekalo, telpančio į vieną krepšį, nuolatinė vieta – per tris kambarius.

Paskui užkaitė žirnių sriubą iš pakelio ir atsinešė į virtuvę storą knygą, kurią skaitys maišydama puode žirnius.

Bet jos vis tiek neapleido būsena, jog dar ne viską padarė, kad jau galėtų sėsti prie rašomojo stalo ir pradėti rašyti.

Nors mezgimas, žirnių virimas ir visi jos rūpesčiai šiame bute šią akimirką jos pačios požiūriu neturėjo jokios vertės, palyginti...

Ak, bet su kuo lyginti?!

Prisivertusi Virginija Žolytė pagaliau atsisėdo ir iš visų jėgų ėmė stengtis greitai ir kokybiškai užrašyti, ką sužinojo per trisdešimt metų.

„Mane apstulbino, kad aš – tokia protinga – prie rašomojo stalo išsyk nesugriebiu pasaulio esmės.

Kas paaiškėja darbo didingume ir alinamoje vergystėje, šokio alpuly, lovoje su mylimuoju, su nemylimu, kas atsiveria iš genialių knygų, kurių aš niekada neparašysiu, kas blyksteli nuovargyje bandant sudoroti savo pačios nemokėjimą būti – išnyko.

Pamiršau. Neteko prasmės.

Ilgokai pasiklioviau kitais: kažkokį velnią žino, jeigu gyvena.

Vis dėlto nieko jiems neatleidau: mirčių, neturto, banalybių, tuštumo. Savo gyvenimą švaistantys žmogiūkščiai, vargšai...“

Dar tebekalbėdama į paguodos telefono ragelį, ji mąstė: pasaulį dalyti į save ir kitus – velniškai drąsu. Tai reiškia pasitikėjimą savimi.

Dar galvojo: koks ilgas ir varginamas kelias į netikėjimą savimi.

Virginija Žolytė nuoširdžiai išklojo viską anonimui aname laido gale ir pritilo.

Paskui padiktavo savo adresą, nes jai liepė. Anonimas pažadėjo tuo adresu atsiųsti raštu surašytus išsamius patarimus, kaip iš tikrųjų reikia gyventi.

Dabar ji laukia atsakymo.

Tokią jūs ją ir užklupote, kai nepaskambinę atėjote kavos.

O netrukus – kaip juokinga – parėjo vyras su vaiku ir bobulytė.

Ant ką tik pradėto rankraščio – svarbiausio gyvenimo darbo – jie nežiūrėdami padėjo lietuje sušlapusį maišelį su vaiko prakąstu batonu.

Du parašyti sakiniai sušlapo ir išskydo. Tikrai labai juokinga.

1985

TIK ESTIJOJE, VISADA – TIK ESTIJOJE

Labiausiai džiaugiuosi, kai redakcija siunčia mane į komandiruotę į Taliną. Esu estė iš pašaukimo.

Ledinės elegantiškai apsirengusių moterų povyzos Talino gatvėse slepia vulkaną.

Pažįstu jas kaip nuluptas. Jos tokios šaltos, kad degina.

Visada viskas, nuo ko perkaisti, o paskui vėl pavirsti ledo luitu, – nutinka Estijoje.

Dvi moterys – keturiasdešimtmetės, savarankiškos, pripratusios dominuoti (ir estės) – dviem savaitėms įstrigo tokioje vietoje, kur šių savybių nereikėjo.

Jos privalėjo išklausyti kursą, kaip apsimesti abejingai, kai dalykas tau labai rūpi.

Kaip atsainiai pasiteirauti apie tai, kas tave domina, ir nesukelti įtarimo.

Kaip būti įdomiai pašnekovei, bet nieko nepasakyti apie tikruosius savo ketinimus.

Kaip atrodyti žaviai, bet neturėti jokių bruožų: kad norintis tave apibūdinti negalėtų nusakyti plaukų spalvos, drabužių stiliaus, veido bruožų.

Jos buvo atrinktos iš kelių šimtų moterų, gal net iš kelių tūkstančių. Su jomis buvo dirbama individualiai.

Nė viena nežinojo, ar šiame viešbutyje gyvena dar kas nors iš šios programos dalyvių.

Jokių nurodymų nė viena nebuvo gavusi: galėjo bendrauti su žmonėmis arba tylėti.

Galėjo apsimesti, kad nemoka kalbos, pasakyti, kad atvyko iš kitos šalies.

Galėjo sakyti tiesą – kad gyvena tame pačiame mieste.

Neleista buvo tik skambinti namo ir kviestis draugų į viešbutį. Šeima turėjo manyti, kad jos toli.

Abi mokėjo po šešias užsienio kalbas, tris – beveik kaip gimtąją.

Žinojo, kad yra stebimos, tik nežinojo, kas tai daro: viešbučio svečiai, personalas ar kitos studentės. O gal žurnalistai, kuriems už tai reikėtų išmalti snukius.

Net jei apsiriktum ir vožtum ne tam – vis tiek pasiteisintų.

Įėjusios į kambarį būtinai privalėjo užsirakinti, nors dviguba magnetinių kortelių sistema vargino ir atrodė nereikalinga – juk jos nelaikė kambaryje nieko, ką būtų reikėję slėpti. Tai gerokai erzino.

Abiejų moterų kambariuose stovėjo po dvi plačias patogias lovas. Iš pradžių tai atrodė kvaila: kam joms dviviečiai kambariai?

Pirmoji moteris ant gretimos lovos stengėsi nepadėti jokio savo daikto.

Antroji – atvirkščiai – tyčia sujaukdavo patalus ir visas pagalves pasibrukdavo sau po galva. Išsimaudžiusi po dušu šluostydavosi iškart abiem rankšluosčių komplektais.

Vakarais kita lova neduodavo ramybės. Abi manė, kad čia slypi kokia nors klasta.

Dieną jos užmiršdavo kambario, kuriame gyveno, galvosūkį. Stebėjo viena kitą. Joms leido bendrauti, bet nevalia svečiuotis vienai pas kitą.

Pirmoji moteris buvo tikra, kad ją pasirinko todėl, jog turi viską: turtingą vyrą, du vaikus, brangių drabužių ir kvepalų, pretendentų į meilužius ir net gerą galvą.

Tokiai moteriai gali imponuoti tik galimybė išbandyti savo intelektą.

Kuo sunkesnis testas, tuo labiau didėjo jos entuziazmas sublizgėti šioje keistoje programoje, apie kurios tikslus organizatoriai beveik nekalbėjo.

Svarbiausia buvo įveikti šią dieną ir pelnyti dešimt balų.

Rytais užduotis nebūdavo formuluojama. Vakarais su korespondencija įteikdavo prabėgusios dienos testo rezultatus.

Vakare paaiškėdavo, kad tą dieną reikėjo psichologiškai terorizuoti konkurentus. Atplėšdavai voką ir rasdavai išvadą: „Esate linkusi į sadizmą ir patyčias – stebėkite save.

Prašome suregistruoti visus atvejus, kai, jūsų nuomone, be ypatingų pastangų išvedėte žmogų iš pusiausvyros".

Tai tikrai erzino. Kaip gali ką nors terorizuoti, kai su niekuo nebendrauji?

Ji pamėgino prisiminti kiekvieną vakarykštės dienos smulkmeną.

Nusileidusi pusryčiauti atsisėdo prie tuščio stalelio. Natūralu nesėdėti su žmonėmis, kuriems nieko nejauti.

Ką galvojo per pusryčius?

Kad du trečdaliai moterų kavinėje apsirengusios neskoningai. Kad du mulkiai suomiai mano, jog niekas nesupranta jų kalbos.

Kad rusų kompanija naudojasi galimybe per pusryčius visai dienai prisikišti pilvus iki šleikštulio.

Kad vokiečių porelė pernelyg garsiai kalba ir akivaizdžiai mėgaujasi tuo, jog yra užsieniečiai. Kad personalas nevalyvas, ir jokie specialūs kursai jiems nepadės.

Jogurtą su dribsniais ji valgė ilgai. Kai lupo kivį, vyriškis prakaituotu veidu paprašė leisti prisėsti, ir ji nejučia pasišaipė – atsakė estiškai, bet „Amerikos balso" maniera.

„Ar jūs iš Čikagos?" – mandagiai paklausė prakaito gamintojas.

„Taip, vakar atskridau-u", – sukniaukė amerikoniškai, būdama tikra, kad jam praeis noras kalbinti.

Bet vyriškis norėjo šnekučiuotis: pasisakė esąs teisėjas iš provincijos, šią savaitę turįs reikalų sostinėje. Jis net išraudo – itin nemalonių reikalų, o akys maldaute maldavo paklausti, kokie tie reikalai.

Ji ėmė iš lėto mažyčiais griežinėliais pjaustyti kivį vaizduodama, kad visai pamiršo pašnekovą.

Matė, kaip šis nejaukiai rangosi ant kėdės. Vyriškis bandė lupti kiaušinį, bet ji bukai įsistebeilijo į jo pirštus. Ranka suvirpėjo, lukštai pabiro į visas puses.

„Jūs turbūt labai mėgstate kiaušinius?" – šypsodamasi paklausė jinai.

Teisėjas nuraudo kaip burokas.

Ne, jis nemėgstąs, bet vakar visą dieną įtemptai dirbęs ir neturėjęs laiko papietauti, o vakare užgriuvę nemalonumai...

Tuo metu ji pamojavo pro duris įėjusiai kolegei, ir teisėjas buvo priverstas nutilti nebaigęs sakinio.

Jis buvo drovus ir vis prakaitavo.

Moteris mėgavosi, kad padėtį akivaizdžiai valdo ji. Žmogus jai atrodė atstumiantis: prakaituoja ir rausta, bejėgiškai ieško nepažįstamų žmonių paramos.

Ji prisiminė, kaip atsisveikindama atsainiai prasitarė, kad viešbutyje gyvens dvi savaites.

„Jeigu manęs neaptiks giminės iš provincijos", – truktelėjo pečiais skambiai juokdamasi.

„Giminės – Dievo bausmė, ypač Estijoje", – pralinksmė-jo vyriškis ir kažkodėl pažadėjo paskambinti.

Tik dabar jai toptelėjo, kad neprisistatė – iš kur jis žinos, kam skambinti?

Antroji moteris neturėjo nieko: buvo negraži, žema, su akiniais, bet vis tiek prastai matė.

Jos nemylėjo tėvai, ir ji nekentė jų nuo vaikystės. Pavy-dėjo moterims, turinčioms šeimas. Nekentė vyrų, nes jie – ne jos meilužiai.

Visus įtarinėjo, kad yra „žydri" arba mažų mažiausiai – biseksualai.

Vienintelis variklis, vertęs ją dirbti nuo ryto iki vakaro, – noras įrodyti visiems šmikiams, kad jie klydo nevertinda-mi jos.

Viešbutis jai patiko. Maistas atrodė valgomas. Persona-las pakenčiamai kalbėjo angliškai, – net nemanė, kad Esti-joje esama tokio aptarnavimo.

Pati mokėsi anglų kalbos ilgai, bet anglai vis tiek girdė-davo akcentą. Vengrų ir latvių kalbų ji neįveikė, bet vokie-čių, italų ir kinų mokėjo tobulai.

Niekas nežino, kiek sveikatos jai kainavo tos niekam ne-reikalingos kalbos.

Kai pranešė, kad ją pasirinko, suprato – jokios pastan-gos nežūva: už sunkų darbą atlygis kada nors ateina.

Nusivylė tik vienu dalyku – įsivaizdavo būsianti vienin-telė ir nesitikėjo, kad su konkurente reikės gyventi dvi sa-vaites.

Nutarė neatskleisti savo tikrųjų jausmų: toji kita jai at-rodė pamaiva.

Ji netikėjo, kad moterys, kurių visos garderobo spalvos dera, galvoje galėtų turėti košės.

Antrajai moteriai ant veido buvo parašyta, kad ji gali ištverti viską, išskyrus profesinį konkurentės pranašumą.

Kas nors turėjo sekti jų elgesį. Gal net žiūri, kokią vietą jos krapštosi tualete.

Abi žinojo, kad juodvi nerašo ataskaitų viena apie kitą. Šito be ceremonijų pasiteiravo pirmoji, bet antroji nesuprato, ar tai nuoširdu.

Ji labiau tikėjo provokacijomis.

„Aš nesutikčiau pranešinėti apie kitą žmogų. Man būtų maloniau apmauti juos pačius, ir dviese mums tai pavyktų".

Antrajai šis pasiūlymas pasirodė pavojingas – jai buvo kiek nejauku, kad esama žmonių, kurie net neketina įsipareigoti tiems, kurie suteikia šansą.

Kad kas nors, mokomas ir išlaikomas už galingos organizacijos pinigus, ketina pasišaipyti iš tos struktūros.

„Ar tu ir su vyrais taip elgiesi?"

„Kartais. Negi nepastebėjai – kuo blogiau elgiesi, tuo geresnis rezultatas!" – nusišaipė pirmoji.

Ne, antroji nepastebėjusi – joks vyras niekada nesiteikė pabendrauti su ja ilgiau nei dešimt minučių.

„Tau reikėtų pasidažyti lūpas riebiu pieštuku – nuo šalčio jos skeldėja", – šyptelėjo pirmoji ir pranešė, kad vakare juodvi eis į barą.

„Kitą rytą būsime neišsimiegojusios", – paprieštaravo antroji, tačiau pirmajai buvo nė motais.

„Mes sužlugdysime jų sumautą programą, nes jie patys nežino, ko nori. Tavo anketoje juk buvo parašyta, kad esi pasirinkta dėl itin aukšto intelekto koeficiento?"

Antroji tuo labiausiai ir didžiavosi.

„O dar jie parašė, kad tokia psichologinė struktūra kaip

tavo ir unikalus sugebėjimas išlaikyti pusiausvyrą bet kokiomis sąlygomis – retai pasitaiko..."

Kaip tik taip ir buvo parašyta.

Ji manė šiuos išskirtinius bruožus išsiugdžiusi nuolatos aršiai kovodama su aplinkiniais ir siekdama pripažinimo.

Mintis, kad kas nors be pastangų išlaiko vidinę pusiausvyrą ir net gali į tai nusispjauti, ją tiesiog žlugdė.

„Mes pasijuoksime iš jų ir patirsime didžiulį malonumą", – dar kartą draugiškai pasiūlė pirmoji.

Antroji nebuvo tikra, ar tai nėra vienas iš galimų testų. Jai net šovė mintis, kad pirmoji kaip nors pateko į jos kambarį ir perskaitė anketą.

Pokalbis antrajai tapo nebepakeliamas, bet ji privalėjo išlaikyti vidinę pusiausvyrą – už tai ją ir vertino organizacija.

Ji buvo tikra, kad ateityje jos profesinė veikla bus susijusi su valstybės saugumu.

Pirmosios polinkis žaisti slidžiais dalykais jai atrodė arba beprotybė, arba provokacija.

„Pakviesk tą prakaituojantį vyruką, su kuriuo aš ką tik sėdėjau, – tegul vakare palydi mudvi į barą. Perduok, kad aš prašau – pažįstu jį", – davė komandą pirmoji.

Antroji klusniai atsistojo. Ji pamanė du dalykus: arba tai testo užduotis, arba aš pirmą sykį gyvenime nueisiu į naktinį barą, nors man ten nieko nereikia.

Daugiau nieko, ką būtų galima pavadinti sadizmu ir tyčiojimusi iš kitų žmonių, pirmoji programos dalyvė neįstengė prisiminti.

Antrosios moters charakteristikoje buvo parašyta:

„Jūs puikiai perprantate kitus žmones ir galite nesunkiai nuspėti, kaip jie pasielgs kritiniais atvejais.

Jūs nesigailite žmonių ir dėl sentimentų niekada neaukojate profesinių interesų.

Netikite jausmais – manote, kad jie verčia žemintis. Jums nepatinka, jeigu kas nors verčia jus laukti – skambučio, kvietimo, susitikimo. Jei galėtumėte, iš žodyno apskritai išbrauktumėte žodį „viltis".

Viltys žlugdo žmones – jie tampa nedarbingi, ir jų tikslai išskysta. Moteris viltys pribaigia."

Ji didžiavosi tokiu įvertinimu ir nutarė eiti į barą tik tam, kad demaskuotų savo konkurentę.

Nežinojo, kaip tai padarys, bet buvo tikra, kad kaip tik šis veiksmas ir bus tikrasis egzaminas, nors jai buvo nemaloni mintis, jog toji kita – likimo ironija! – teoriškai galėtų būti egzaminuotoja.

Trijulė drožė į kažkokią mažą vyninę giliame rūselyje, tokių pilna Taline. Viena ji nebūtų radusi kelio atgal, nes naktinio miesto nepažinojo – niekada nebuvo su kuo jį tyrinėti.

Šlapias sniegas lipdė akis. Ji du kartus paslydo, ir akiniuotis ją prilaikė. Moterį guodė, kad vyriškis nešioja akinius, – nebuvo vienintelė žabalė.

„Labai blogai matau, – prisipažino jis. – Dažnai paslystu, o pildamas vyną nepataikau".

Jis buvo sąmojingas ir nekreipė nė mažiausio dėmesio į priekyje žirgliojančią ilgšę, kuri eidama kraipėsi taip, tarsi žengtų podiumu.

Jis neklausinėjo ko nereikia, bet tuoj pat išsiaiškino, kad ji negeria karšto raudonojo vyno, bet dievina baltąjį. Draugiškai prisipažino jai, kad bus solidarus – valgys upėtakį ir užsigers baltuoju vynu.

Ilgšė stypčiojo priekyje. Akiniuotajai buvo malonu, kad juodu net nesitarę ignoruoja pamaivą, nors eiti į barą sugalvojo būtent ji.

Negražioji moteris jautė, kaip kyla beprasmis priešiškumas pirmajai. Toks saldus jausmas, artimas neapykantai. Kiek nustebusi suvokė, jog patiria tai pirmą kartą – joks vyriškis iki šiol jos gyvenime nesiteikė leisti, kad ji dėl jo konkuruotų.

Pirmajai bėgo per nugarą šiurpuliukai – ne nuo drėgno Talino oro: pasijuto tampanti taikiniu.

Rūbinėje kiek prasisegė palaidinę, o prie staliuko atsisėdo taip, kad prakaituojantis teisėjūkštis iš provincijos būtų priverstas spoksoti į jos iškirptę.

Susitraukėlė su akiniais įsitaisė šalia jo. Vyriškis atrodė ramus – jo nepylė dėmės kaip šį rytą viešbutyje.

„Ar jūs jau susidorojote su savo nemalonumais?" – įgėlė pirmoji, pritrūkusi dėmesio.

„Kuo puikiausiai! Pavyko geriau, nei tikėjausi!" – žvaliai išpoškino provincialas.

Teisėjas nė akies neužmetė į jos prašmatnią iškirptę.

Įgudusi laimėti moteris ištiesė ranką ir vienu pirštu paglostė jo taurę. Ilgas violetinis nagas spindėjo tamsaus stiklo fone. Intymus judesys.

Vyriškis nereagavo. Ji pradėjo pykti.

Teisėjas kaip tikras kaimietis užsakė visiems trims upėtakį su svogūnų padažu, net nepasiteiravęs, ar ji teiksis ką nors valgyti.

Pirmą kartą gyvenime negražioji juto, kad laimi neįvaldytoje srityje. Ji išraudo, vešlūs kaštoniniai plaukai pasklido ant nugaros.

Kai ilgšė nuėjo į tualetą, ji ryžosi pakviesti vyriškį pasėdėti jos kambaryje. Kai visi trys grįš į viešbutį.

„Jūs esate žavi moteris: protinga ir graži. Ypač šį vakarą", – pagyrė jis, nusiėmęs akinius, ir tuoj pat pažadėjo nekantriai laukti vakarėlio pabaigos.

Pirmajai nereikėjo į tualetą: ji išėjo numaldyti susierzinimo. Pirmą sykį gyvenime pasijuto pastumta į šalį. Ir kieno! Mulkio iš provincijos ir akiniuotos susitraukėlės!

Norėjo iškrėsti ką nors drastiška, kas įžeistų ir suniekintų tą susikukavusią porelę.

Nutarė šaltakraujiškai pasimylėti su akiniuotuoju, o rytojaus dieną papasakoti tai vištai visas smulkmenas. Natūralistines detales.

Pirmoji moteris grįžo prie staliuko dalykiška mina ir tuoj pat pasisakė turinti teisėjui pranešti kai ką svarbaus.

„Tu man patinki. Užeik šį vakarą į mano kambarį", – pakvietė pasivedusi į šoną.

Vyriškis mielai sutiko. Jam akivaizdžiai sublizgo akys.

Abi jautėsi puikiai suplanavusios įvykių eigą ir užbėgusios už akių priešininkei.

Buvo dar ir trečioji moteris, apie kurią nieko neįtarė pirmosios dvi: aš – žurnalistė.

Kaip jos galėjo įtarti, jeigu jau pirmą rytą, įvertinusi mieguistą viešbutėlio aplinką, aš nutariau iš jo dingti.

Negi neparašysiu to savo reportažo apie kažkokį absurdišką eksperimentą, kuriame dalyvauja puskvailės bobos, nuo ryto iki vakaro nespoksodama į griežtai sučiauptas jų lūpas?

Atsiverčiau programos aprašymą. Pirmajame puslapyje puikavosi savimi pasitikintis vyriškis.

Kaip tik toks, kurį smagu gundyti, – solidus, prašmatnus ir su kipšiukais akyse. Organizatorius, gyvenantis Stokholme!

Tuoj pat pareikalavau jo koordinačių – mūsų laikraštis ne toks, kad pasitenkintų spaudos konferencijų nuograužomis. Visi suprato. Reklamos svarbą solidžiame užsienio dienraštyje.

Vakare jau siūbavau Stokholmo link, nuo „Silja Line" denio spjaudydama į bangas vynuogių sėklas, kol kiaurai perkošė vėjas.

Sušilsiu Stokholmo senamiestyje – mėgstu tenykščius džiazo barus su daug muzikos ir mažai alkoholio.

Užmigdama aukštos klasės kajutėje (estai negaili pinigų žurnalistams skirtingai nei neestai), mąsčiau, kad man turėtų patikti estas, visą gyvenimą klestintis Stokholme.

Juo dėta irgi negrįžčiau namo. Vieną kartą per metus atvežčiau kalėdinių dovanų motinai, gyvenančiai blokiniame name Talino priemiestyje, ir pardavinėčiau absurdiškus projektus vietiniams.

Turėtų būti neprastas sukčius su fantazija. Machinatoriai man labiausiai patinka – nesimaivo.

Viską taip ir įsivaizdavau: pasitiko, ėjo su manimi vakarieniauti ir klusniai kaip mokinys klojo viską, ko tik prašiau: apie vaikystę Taline, šnipus, pirmąją kelionę į užsienį, kinų kalbos pamokas.

Pirmą meilužę japonę, kuri pasisiūlė pati, o jis baisiai išsigando jos aktyvumo ir pabėgo.

Kūrė pasakėles kaip tik taip, kaip reikia tinginčioms žurnalistėms: nebijodamas būti juokingas, nedarydamas paslapčių iš savo karjeros ir nedrebėdamas, ar bus teisingai perpasakotas.

Buvo velniškai smagu. Ypač jaustis jaunesnei.

Mudu ilgai slampinėjome po naktinį Stokholmą, čia priartėdami, čia nutoldami nuo vandens.

Užėjome į porą barų, kuriuose mėgo sėdėti kažkokie du

man nežinomi personažai – lyg ir rašytojai, o gal politiniai veikėjai.

Neapsimečiau, kad būčiau ką nors apie juos girdėjusi.

„Man nusispjaut. Pakaks jūsų įžymumo", – taikiai pasakiau.

Nusijuokęs prisipažino, kad tai buvęs testas: visoms jį kalbinančioms žurnalistėms rodąs tuos du barus. Girdėjusias apie „legendinius" asmenis tikrų dalykų pavaro šalin.

„Ar ir su manimi būtumėte taip pasielgęs?" – pasiteiravau išpūtusi akis.

„Gal... ne. Nesu tikras", – kiek pamindžikavo.

Paskui ėmė pasakoti apie keliones po visą pasaulį. Kelionių po visą pasaulį aš pavydžiu. Šiek tiek pavydžiu ir vyrų, kuriuos kalbina minios žurnalisčių.

„Jokio pasaulio nesu matęs – tik viešbučių kambarius ir konferencijų sales", – truktelėjo pečiais.

Bet net apie viešbučius ir sales įmanoma papasakoti įspūdingai, jeigu kas nors klausosi užgniaužęs kvapą.

Jis taip ir padarė – aš iš tų, kurios moka klausytis suakmenėjusios.

Paskui ėmė fantazuoti apie Korėją: tenai po kiekvieno oficialaus susitikimo vyksta vakarienė moterų draugijoje. Tos moterys – tarsi dar vienas patiekalas. Desertas.

„Kažkokie viduramžiai", – pasipiktinau.

Gal jis iš manęs šaipėsi?

„Ne, tik tradicijos, – ramiai paaiškino. – Negalėdavau mylėtis su moterimis, prieš tai su jomis neišsikalbėjęs", – pridūrė.

Taip taip – skiesk. Kelk savo vertę.

Gal kokia paauglė ir patikės, kad pasitaiko ir vyrų, kuriems prieš desertą reikia bendrauti. Ypač estų Stokholme.

„Moterų turėjau nepaprastai daug. Visokių tautybių moterų", – jis atidžiai žiūrėjo man į veidą.

Veidas kaip veidas. Negi turėčiau dabar apsiverkti?

Naktis nebuvo tamsi. Banga teliūskavo į krantinę tarsi vaikščiotume Klaipėdoje. Ir ten, ir čia pūtė vėjas.

Kol ieškojome nežinia kokiame skersgatvyje palikto jo automobilio, atkreipiau dėmesį, kad eidamas kiek pridūsta. Tada stabteli, tarsi norėdamas ką parodyti ar papasakoti.

Maža miela vyriška gudrybė suvilioti jaunesnę moterį.

Manęs nereikia vilioti: širdyje aš estė.

Bet į viešbutį neužėjo: parvežė iki durų, atidarė automobilio dureles ir atsisveikino iki kito karto. Skambėjo absurdiškai – kada bus kitas kartas, jei rytoj su „Silja Line" aš linguoju atgal į Taliną?

Buvau tokia suirzusi, kad vidurnaktį sėdau prie kompiuterio ir ėmiau rašyti jo biografiją laikraščiui.

Ilgai ilgai kurpiau straipsnį. Faktai kažkur išsibarstė. Iš užrašų visai negalėjau atkurti, kokie įvykiai jo gyvenime vyko po kurių.

Net sumaišiau jo žmonos vardą pavadinusi ją Joana. Ji buvo Livi – tikra estė nuo Tartu, kiekvieną vasarą važiuojanti atostogų į prilytą Estiją.

Man ji atrodė tikra kaimietė – būtų galėjusi atostogauti Kanaruose.

Kitą rytą sumurkšlinta fizionomija grįžau į viešbutį Taline. Apsiuosčiau, kas vyksta, ir nutariau, kad iš visų žurnaliūgų nuveikiau daugiausia. Visos surūgusios bobos – eksperimento dalyvės – tebesitrynė viešbutyje.

Kaip užmušta miegojau visą dieną.

Vakare į mano duris kažkas pasibeldė.

Estas iš Stokholmo, išimtas iš vitrinos! Labai labai prekinės išvaizdos. Labai labai solidus. Labai labai punktualus. Labai labai švytintis – su gėlėmis, kvepalais ir anyžiniais saldainiais.

Dievinu siurprizus.

Žinoma, man jo nereikėjo, bet tiesiog negalėjau atsispirti.

Nė nejutau, kaip paskendau švelniame ir atsargiame glėbyje, prieš tai patyrusi, kaip liežuvio galiuku glamonėjamos korėjiečių moterų šnervės.

Kaip bučiuojamos liaunos kinių moterų pėdos.

Kaip iš aukštybių erelio žvilgsniu nužvelgiamos indėnės, o paskui brutaliai smingama į gelmę.

Vaitojau kaip elnė, kuri tuoj bus sužeista į pačią širdį.

Buvau dulkinama kaip pašlemėkiškiausiame pornografiniame filme.

Glamonėjama kaip verkiantis smėlio dėžėje nuskriaustas vaikas.

Glaudžiau jį virpantį ir išsekusį ir sužinojau, kad iki tol nežinojau nieko.

Mano kūnas buvo sotus. Buvau laiminga. Man buvo gėda.

Trys dalykai, kuriuos gavau dovanų elgdamasi ištvirkėliškai.

Kai išraudusi ir suvelta išlindau iš savo numerio, viešbutyje nebuvo nei žurnalistų, nei dalyvių. Po velnių, net pasiklausti apie rezultatus nėra ko. Ar nebūsiu ištrenkta iš darbo?

Gatvėje nusipirkau vakarinį Talino laikraštį ir perskaičiau vietinę rašliavą.

Tos dvi prietrankos, kurios tikėjosi būti priimtos mažų mažiausiai į žvalgybą – aukštoji pamaiva ir akiniuotoji sūtrauka – apsikvailino ėmusios konkuruoti dėl kažkokio mulkio, kuris prisistatė teisėju.

Jisai – tik programos statistas, pasamdytas dviem vakarams. Išsilavinimas – šaligatvio plytelių klojėjas.

Abi pakvietė jį į savo dvigulę lovą. Nepriklausomai nuo savo išvaizdos ir išsilavinimo.

Tai buvo pati ilgiausia naktis abiejų moterų gyvenime: jos laukė.

Visiškai veltui. Klojėjas neatėjo, nes jam buvo sumokėta, kad neitų.

Jos nežinojo, kad už durų laukia viską žinantys maitvanagiai žurnalistai.

Man įdomu: ar jis bent kiek norėjo eiti? Ir pas kurią? Fantazijos neturintys Talino žurnalistai apie tai neparašė.

Kitą dieną su korespondencija toms apgailėtinoms moteriškėms, įsivaizduojančioms velniai žino ką, atėjo testo rezultatas – abiem vienodas:

„Jūs neišlaikėte elementaraus savitvardos tikrinimo. Prašome išvykti iš viešbučio – iškrintate iš tolesnės mūsų programos."

Ranka kažkas buvo prirašęs: „Nepaisant itin aukšto intelekto koeficiento, nustatyta, kad jumyse dominuoja moteris."

Abi verkė: pažeminimo sukeltos emocijos – pačios karčiausios.

Laikraštyje buvo abiejų nuotraukos. Vieną guodė vyras, kitos neguodė niekas. Abi atrodė vienodai – žąsys. Beviltiškai apgailėtinos.

Tai tik šou, realybės šou, kurį švedai pardavė estams, kad šie pasidarkytų skandinaviškai.

Kaip man patinka blaivinami pokštai! Vis laukiu nesulaukdama: kada žmonės, dar drįstantys įsijungti televizorių ir pirkti laikraštį, supras, kad iš jų tyčiojasi?

Laiko bukais avigalviais. Nepaiso. Žemina. Netiki jų sveiku protu. Daro iš jų įsivaizdavimų pinigus. Primeta jiems tuos įsivaizdavimus.

Labai patenkinta grįžau į savo kambarį.

Parašysiu puikų straipsnį. Gal net įrodysiu redakcijai, kad nusipelniau gauti komentatorės skiltį.

Tokios, kuri moka analizuoti. Ir turi įgimtą cinizmo jausmą. Ir visa kita, žinoma.

Ant sujauktos dvigulės lovos gulėjo vokas su mano vardu ir pavarde.

„Visą gyvenimą ieškau moters, kuri TO nepadarytų. Tikriausiai dėl to jų buvo tiek daug – turkių, japonių, korėjiečių, olandžių. Daugiausia – smalsių žurnalisčių.

Skamba šiurkštokai, bet tu – nuoširdžiausia. Net nemalonu pranešti, kad žurnalistės irgi yra eksperimento dalyvės. Tokios šito šou taisyklės.

Negaliu jų keisti, nes neįžūlaus šou niekas nepirktų. Linkiu sėkmingos kelionės namo.

P.S. Tavo nuotraukos laikraščiuose nebus – pagailėjau. Organizatorius.“

Jokia lietuvė komandiruotėje tokių dalykų neiškrėstų – tik estės taip gali. Todėl aš dar nežinau, ar grįšiu į Vilnių.

Esu estė iš pašaukimo. Tikrų tikriausia estė.

FOKUSININKAI

Aš pasitraukiau nuo savo šeimos, kad pagaliau baigčiau knygą apie senatvę.

Jie kilniaširdiškai man tai leido: leidėjas skambino kas antrą dieną ir skubino kaip įmanydamas.

Kai paskutinįkart pagrasino atsisakysiąs sutarties, net išlepinti vaikai ir vyras suprato, kad bent trims mėnesiams privalau išeiti iš namų, nes dėl neparašytos knygos kalti bus jie.

Ilgai rinkausi, kur apsigyventi.

Kad galėčiau rašyti, man reikia aukšto lango su atsiveriančia plačia panorama: rašydama turiu įremti žvilgsnį į niekur.

Jokių automobilių, jokių praeivių, jokių po langu šūkalojančių vaikų!

Išnaršiau senamiestį: vienur dvokė, kitur buvo tamsu.

Kai jau buvau visai praradusi viltį, užėjau į apleistą kiemą. Jis buvo trapecijos formos – supo netaisyklingi namai.

Paslaptingiausias atrodė labiausiai apšepęs. Jis buvo labai siauras, keturių aukštų ir be durų. Kiekviename aukšte – vos po tris siaurus ir aukštus langus.

Atsargiai stačiau kojas sulūžusiais mediniais laiptais. Jokios kačių smarvės – jie buvo ką tik švariai nuplauti, nors turėklai vos laikėsi.

Iš netikėtumo sulaikiusi kvapą, – šis namas kėlė kutenamą nuotykių troškulį, – stengdamasi neužkliūti už atsiknojusių lentų (tokių senų, kad jose buvo matyti, kurioje vietoje žmonės dažniausiai statė pėdas) užsiropščiau į patį viršų ir netekau žado.

Laiptai baigėsi palaike aikštele, atvira visiems vėjams.

Virkavo lapkritis.

Nuo žvarbaus vėjo ir atsivėrusio vaizdo sudrėko akys: devyni bokštai (niekada neatskiriu, kuris kurios bažnyčios), Trijų kryžių kalnas ir Gedimino pilis atrodė ranka pasiekiami, bet nerealūs.

Kažkas prieš nosį mirgėjo ore – ištiesiau ranką ir pamosavau, norėdama praskaidrinti vaizdą.

„Tai nuo ašarų, ponia. Iš pradžių visiems taip būna, o paskui akys pripranta prie vėjo", – išstenėjo gergždžiantis balsas.

Nieko nemačiau.

„Rytoj bus geriau, o po savaitės akys neašaros".

„Neketinu čia stovėti savaitę", – netvirtai pasipriešinau, vis dar nematydama, su kuo kalbu.

„Neketinate? Kche, kche, kche..." – pasigirdo pašaipus krizenimas.

Juokėsi keliese, bet labai tyliai. Atrodė, kad balsams neužlenka jėgos.

Pagaliau aš juos įžiūrėjau: penkios senais skudurais apsitaisiusios žmogystos kiūtojo ant netvirto suolo, stengdamosi nesiremti į aikštelės turėklą.

Šnekėjo pirmasis, mataruodamas tuščia seno palto rankove. Negalėjau suprasti, ar vyras, ar moteris.

„Turbūt norėsite viršutinio kambario?"

„Aš nenoriu jokio kambario", – pastačiau šerius.

„Ji sako, kad nenori jokio kambario!" – sušvokštė balsas.

„Kche, kche, kche!.." – būtybės net sukretėjo nuo juoko.

Man tai nelabai patiko. Nesupratau, kodėl jiems atrodo juokinga tai, ką sakau.

„Jūs manęs nepažįstate", – šis argumentas man pačiai pasirodė vaikiškas: taip atsikerta šeštokės, kai nežino, ką sakyti.

„Mes jos nepažįstame!" – suolas leipo juokais.

Staiga pamaniau, kad jie atsiloš, atsirems į svyruojantį turėklą ir nugarmės žemyn.

Instinktyviai ištiesiau ranką juos sulaikyti: žmogystos buvo tokios lengvutės, kad nesupratau, ar turi kūnus.

Po mano bandymo prisiliesti visi nejaukiai nutilome.

„Gerai, ponia. Aš jums parodysiu tą kambarį, o tada jau spręsite", – pakilo pirmasis senukas.

Atrodo, tai vis dėlto – vyras.

Jis kopė laiptais per greitai pagal savo amžių ir sukumpimą – vos spėjau bėgti iš paskos.

Kambarys buvo visiškai tuščias ir nepaprastai šviesus. Nebuvau mačiusi tokios ilgos ir siauros kaip rankovė patalpos.

Jei pastatyčiau rašomąjį stalą prie lango, atsigręžusi vargiai bepažinčiau pro duris įėjusį žmogų.

Kaip tik tai, ko man reikia.

Trijų kryžių kalnas bolavo pro vienišo išsikerojusio medžio šakas.

Gedimino pilis atrodė kaip iš praskydusios akvarelės: man nebūtų patikę žiopsoti pro langą į tikrą Gedimino pilį.

Jėzuitų gimnazijos stogas raudonavo nepakenčiamai ryškiai, bet šalia riogsojo pakankamai nenusakomos spalvos apleistų namų, kurių dar niekas nespėjo paliesti, – galėjai ką nori įsivaizduoti apie jų gyventojus ir tamsias tų namų istorijas.

„Aš sakiau, kad tiks", – nutraukė tylą žmogysta.

Krūptelėjau – buvau pamiršusi, kad nesu viena ir kad mes dar nieko nesutarėme.

„Jums čia patiks, – sukrizeno senukas ir priekaištingai pridūrė: – Juk sakiau iš karto".

„Jai čia patiks! Kche, kche, kche..." – vos girdimai pakartojo žmogystos.

Buvo susispietusios tarpduryje. Negirdėjau, kada atitipeno.

Būčiau priėjusi arčiau ir atidžiau apžiūrėjusi šio namo gyventojus, bet pamaniau, kad šalia atrodysiu labai didelė ir nerangi – tokie jie buvo smulkučiai ir vėjo perpučiami.

Jie negalėtų būti pavojingi: aš nieko neturiu, ir šito kambario neapiplėši.

O prirašyti popieriai apžlibusiems senukams neturi jokios vertės – nuo senatvės jie gal ir skaityti jau bus užmiršę.

„Mes puikiai matome, ponia! – cyptelėjo vienas. – Jūs nepasitikite mumis ir manote, kad jus apmausime.

Neapmausime: tai labai gera vieta ir labai geras namas".

Tai buvo tiesa.

Geltona sienų šviesa skverbėsi į mane ir ramino.

Man neatrodė svarbi mano sutartis su leidykla – atsidūriau labai toli nuo gatvės, nuo savo įsipareigojimų ir keistų prietarų laiku pareiti namo.

Pranešti, kur esu, kai negaliu pareiti, arba skambinti leidėjui ir aiškintis, dėl ko įstrigo trys paskutiniai knygos skyriai.

„Mes atnešime jums sulankstomą lovelę", – sucypsėjo tarpduryje.

Neketinau čia nakvoti. Bet kodėl ne, jei vis tiek jau esu apsisprendusi?

Apsidairiau – telefono čia nebuvo.

„Ponia, bet jūs nekenčiate telefono, – priekaištingai sučežėjo balselis, senas it sudžiūvęs popierius. – Neseniai tvirtinote, kad mobiliųjų išradėjus reikėtų sodinti į elektros kėdę".

Tai buvo šventa tiesa.

Telefonas skambėdavo visada ne laiku, primindamas pareigas ir amžinai reikalaudamas to, kas man nemalonu: būti ten, kur nuobodu, grįžti iš ten, kur linksma.

Jis sugebėdavo vogti laiką, kai įsipliurpdavau su kokiais nors man visai nereikalingais žmonėmis, bandydama užmušti neaiškų nerimą.

„Kai neramu, geriau ištverti vienam, – sučežėjo balsas. – Vienatvė yra didis vaistas".

Jie negalėjo skaityti mano minčių – dar nebuvau tokia kvaištelėjusi, kad įtarčiau apskurusius elgetas aiškiaregyste.

Tokiems prie Aušros Vartų duodu dvidešimt centų, o kartais, kai pinigų turiu daugiau, visą litą, nes neįžūliems mažai kas aukoja.

„Kiek jums mokėsiu?"

„Nenuplėšim, ponia. Jūs pagyvensit, o paskui pamatysite, kiek pati norite duoti".

Senučiukų šutvė kuždėjosi susimetusi į krūvelę prie durų.

Pamaniau, kad turėčiau su jais susidraugauti, kai name kiek apsiprasiu.

Būtų naudinga sužinoti, kokie dalykai jiems dar bent kiek rūpi, sulaukus gilios kaip užmarštis senatvės.

Aš taip ir padariau – niekam nieko nepranešiau.

Buvo tingu eiti į gatvę, ieškoti telefono, vėlų sekmadienio vakarą bandyti nusipirkti kortelę.

Krepšyje gulėjo mobilusis, bet buvau jį išjungusi, kad niekas netrukdytų. Dabar niekaip neįstengiau prisiminti įjungimo kodo – taip man niekada nebuvo nutikę.

Paskui nustojo rūpėti ir tas kodas: kas atsitiks, jei vieną vakarą niekam nepranešiu, kur esu ir ką darau, – tvirtėjo įsitikinimas, jog, sulaukusi trisdešimt penkerių, turiu tokią teisę.

Nereali mano šeima atrodė labai toli – niekaip nepajėgiau prisiminti, ką paprastai tokiu metu jie veikia.

Gal prausiasi?

Nutariau nesivarginti: patys išleido mane rašyti knygos ir tegu tvarkosi kaip išmano.

Ilgai žiūrėjau į geltonas sienas, vis tamsėjančias, įsivaizduodama, kad šitaip gęsta ir senstančio žmogaus veidas.

Turėtų būti niūru sieloje, bet nieko panašaus nejaučiau: širdis tiksėjo lėčiau ir vis mažėjo norų.

„Ar norėčiau gražių drabužių?" – klausiau savęs.

„Norėtum. Bet ne taip labai, kad reikėtų pačiai išsipuošti: ar neužtenka pasižiūrėti, kaip jie tinka jaunoms merginoms, ir jos skrieja gatvėmis, spalvingos kaip drugeliai!" – atsakė kažkas.

Labai nustebau, kad ir aš taip manau.

Nejutau toms merginoms jokio pavydo – net buvau dėkinga, kad jos neverčia manęs konkuruoti, ir aš galiu iš tolo gėrėtis jomis kaip nepavojingu paveikslu. „Ar aš norėčiau aistros?" – klausiau savęs.

„Turėčiau norėti!" – plykstelėjo prisiminimas.

„Bet juk nelabai nori skausmo, kuris lydi tikrą aistrą", – tvirtino ramus balsas.

Kažkur buvau jį girdėjusi, tik ne tokį pavargusį.

Iš tikrųjų nelabai troškau laukimo kančios – ramybė man atrodė daug patikimesnė.

„Ar norėčiau meilės?" – tardžiau save.

Geltona šviesa beveik užgeso.

„Bet mylėti galima ir iš tolo", – teigė balsas, ir žinojau, kad jis visiškai teisus.

Kai myli iš tolo, nieko neįskaudini, nereikalauji ir nesi-
kankini.

Prie durų tyliai bilstelėjo.

Jie atitempė lovelę, palaikę, kaip ir viskas aplinkui. Nešė
visi penki, nors tokiam rakandui pakelti man būtų užtekę
vieno piršto.

„Ar čia niekas daugiau negyvena?" – pasiteiravau.

„Ne, ponia, niekas. Šitą namą pavasarį remontuos, ir vi-
si jau išsikraustė".

„O kodėl jūs pasilikote?"

Jie susižvalgė ir ėmė droviai kikenti.

„Tai ypatingas namas, ponia. Pagyvensite ir pati supra-
site".

„O kur eisite pavasarį?" – pasmalsavau.

„Pavasario reikia sulaukti, ponia", – sučežėjo balseliai.

Man pasirodė, kad jie pernelyg skubiai atsisveikino –
gal pavasarį neturi kur eiti.

Iš karto išaušo rytas, ir aš negalėjau pasakyti, ar nors
truputį buvau numigusi.

Prie lango stovėjo rašomasis stalas ir kompiuteris, abu
palaikiai.

Stalas buvo ne mano, bet savo kompiuterį, judantį vėž-
lio greičiu, būčiau atpažinusi iš kilometro: įjungtas jis burz-
gė kaip baltarusiškas traktorius, prieš kiekvieną komandą
gerai pagalvodamas, ar nori jai paklusti.

Neprisimenu, kad vakar būčiau bandžiusi ką nors rašyti.

Mobilusis telefonas buvo įjungtas. Surinkau numerį.

„Taip, mieloji, vakar su vaikais atvežėme jį tau ir pri-
jungėme, kaip ir prašei, – lipšniu balsu atsiliepė mano vy-
ras. – Ar vėl įstrigo? Seniai sakiau, kad laikas jį keisti", –
švelniai papriekaištavo.

Seniai negirdėjau tokios tolerancijos balse.

Kažkodėl pamaniau, kad einu teisinga linkme – susitikti su savimi, sąmoningai palikusi už nugaros įpročiu tapusius žmones.

Dar prisiminiau, kad niekada nebuvau mistifikuotoja: tikiu tik ta realybe, kurią galiu paliesti pirštu.

Nulipau laiptais ir išėjau į kiemą. Apšviestos blausios lapkričio saulės, nė kiek nešildančios, pasienyje markstėsi penkios žmogystos.

Dvi iš jų buvo senutės – beviltiškai senos.

Du senukai irgi atrodė ne mažiau kaip devyniasdešimties, o trečiasis į mane nežiūrėjo. Net atrodė, kad jam nemalonu mane matyti.

Pasijutau tikra įsibrovėlė ir nuėjau į artimiausią barą gerti kavos.

Grįžau ir visą dieną rašiau apie senus žmones puolančias ligas.

Apie trapius jų kaulus, kurie lūžta nuo kiekvieno neatsargaus judesio. Apie tuščią erdvę aplink juos, kurioje nėra klausančių žmonių. Apie nepaaiškinamą aplinkinių skubėjimą, kurio jie nepajėgia suprasti.

Vakarop buvau pavargusi ir išsekusi, bet labai patenkinta.

Šitas kambarys netrukdė susikaupti. Pilis ir Jėzuitų gimnazija atrodė netikros, kaip ir visų rašančiųjų fantazijos, kurias jie paisto žvelgdami pro langą.

Krosnis skleidė malonią šilumą: nepastebėjau, kas įsliūkino į mano kambarį ir ją iškūreno. Jei kas nors būtų pasakęs, kad tai padariau pati, nebūčiau labai nustebusi.

Kodėl ne, jei gyvenu nuo senatvės sutrešusiame name, apsupta kūnus beveik praradusių senių, ir rašau apie senatvę.

Įsivaizduodama, ką jausiu, darysiu, kalbėsiu, kai būsiu labai sena.

Seniai niekur neskuba. Seniai kūrena krosnis. Seniai nepatiria aistrų. Seniai neskausmingai praranda atmintį, kol vieną dieną supranta, kad šis pasaulis toks blausus ir pilkas, jog palikti jo visai negaila.

Būtų buvę protingiausia nakčiai pareiti namo, įlįsti į vonią ir išsimiegoti savo lovoje.

Bet aš kažkodėl pasilikau.

Naktį sapnavau, kad kažkas nutiko mano odai: ji atrodė ne tokia lygi ir vėsoka. Rytą norėjau pasižiūrėti į veidrodį, bet jo čia nebuvo.

Ir ką aš ten pamatyčiau?

Visą dieną rašiau. Vėl sekėsi puikiai.

Vaizdžiai aprašiau, kaip per naktį sustingsta sąnariai ir rytą sunku ištiesinti pečius. Pasirąžiau – iš tiesų skauda. Turbūt nugulėjau toje nepatogioje lovelėje.

Man labai gerai pasisekė pavaizduoti, kaip blėsta senų žmonių atmintis: vakarykščių veidų jie neprisimena jau rytojaus rytą, o seniai išėjusieji kasdien šviečia jų sapnuose vis ryškiau.

Nenoromis nusipurčiau: pamaniau, kad čia būdama nė sykio neprisiminiau savo šeimos ir draugų, tarsi niekada nebūčiau jų turėjusi.

Užtat naktį už sienos girdėjau kažkokius garsus – tarsi kažkas droviai mylėtųsi pirmą kartą gyvenime. Mergaitės balsas labai priminė mano pačios balsą.

Ji net pakartojo tą pačią frazę, kurią kadaise ištariau aš pati:

„Dieve, nemaniau, kad šitai – taip gera!.."

Niekada iki šiol nebuvau to sapnavusi.

Rytą paklausiau senukų, ar už sienos niekas svetimas nenakvojo. Jie sutartinai papurtė galvas.

Vienas man pasirodė žvalesnis nei paprastai. Net pamaniau, kad supainiojau jį su kokiu nors jaunesniu kaimynu iš kito kiemo.

Kieme, kur jie gūžėsi, man buvo per šalta ir aš skubiai nustypčiojau atgal į savo saulėtą geltonai išdažytą kambarį.

Kartą per savaitę vaikai atnešdavo man maisto. Neturėjau laiko pati vaikščioti.

Buvo gruodžio vidurys. Iki Kalėdų žūtbūt turėjau baigti knygą. Darbas ėjo kaip iš pypkės.

Buvau tikra, kad rašau taip sparčiai tik todėl, jog gyvenu šiame name ir kas vakarą nuoširdžiai kalbuosi su senukais.

Mes prisimindavome net Smetonos laikus, kurie man atrodė išgalvoti. Nė vienas iš jų netikėjo, kad nebuvau tų laikų regėjusi – juk tada saulė švietė taip ryškiai, o vyšnios prisirpdavo labai sultingos.

Mano vaikai, atėję aplankyti, labai vargino. Paslapčia norėjau, kad jie kuo greičiau išeitų, nes šnekėjo tai, kas man nebuvo įdomu.

Sūnus aną kartą paklausė, ar aš jam leidžianti įsigyti modemą, nes jam reikėtų prisijungti prie interneto. Niekaip neįstengiau prisiminti, kas yra modemas. Matyt, galva pavargo nuo rašymo.

Likus dviem dienoms iki Kalėdų baigiau knygą.

Vakarais, kai senamiestyje ūžaudavo vėjas, prie ugnelės skaitydavau ją senukams. Jie sutartinai tvirtino, kad tai esanti labai tikroviška knyga.

Pastebėjau, kad nelabai gerai matau.

Iš pradžių klausydavosi visi penki. Vienas kartais neateidavo.

Kai pamačiau jį po savaitės, man pasirodė įtartinai tiesus. Užnešė į ketvirtą aukštą didžiulį glėbį malkų ir net nepriduso.

Taip jam ir pasakiau:

„Lakstai kaip jaunėlis".

Jis kažkaip neaiškiai šyptelėjo. Netrukus ėmiau galvoti apie žolelių arbatą, kurią tuojau gersime, ir neįprastas jo elgesys išgaravo man iš galvos.

Jau savaitė kaip leidėjas atsiėmė iš manęs knygą. Jis atvažiavo pats, labai nustebęs apsidairė mano puikiajame kambaryje ir tuoj pat išsinešdino.

Po pusdienio paskambino: knyga nepakartojama – ryte prarijęs.

Nepasakyčiau, kad man jo džiūgavimas pasirodė labai svarbus. Prieš dėdamas ragelį kažkodėl patarė greičiau grįžti namo.

Nesupratau, kodėl jam tai turėtų rūpėti.

Neketinau grįžti, bent jau kol kas. Atvirkščiai – net ėmiausi menkos gudrybės ir nepranešiau šeimai, kad baigiau knygą.

Pamaniau, kad būtų neblogai šiame kambaryje sutikti naująjį amžių – šilta, šviesu ir niekas per televiziją nekvaršina galvos ekologinėmis katastrofomis ir visokiomis būtinybėmis.

Atvirai pasakius, mane gąsdino ir kelionė – neįsivaizdavau, kaip įveikčiau dvi gatves per tokį šaltį. Į lauką nebuvau išėjusi du mėnesius.

Naujųjų išvakarėse namiškiams pasakiau, kad man čia labai gera (kodėl žmonės bando iš kitų atimti pačius geriausius dalykus?).

Jie nevertė grįžti, bet labai nustebo, kad nenoriu net riešutinio torto, kurį pilna burna šveisdavau per kiekvienus Naujuosius.

Priežastis buvo visai paprasta – jis man atrodė per kietas, ir aš negalėjau įsivaizduoti, kaip žmonės sukramto sprangius riešutus.

Dvyliktos nesulaukiau – kam kankintis dėl kažkokios įsivaizduojamos datos, kai taip marina miegas?

Naktį sapnavau nepaprastą sapną – senukų vadeiva įėjo į mano kambarį, pasilenkė virš manęs ir pasakė, kad dabar esame vienodo amžiaus.

Pasakodami apie senatvę, jie išsiurbė iš manęs jėgas, todėl dabar neprašą užmokesčio už kambarį – aš jau susimokėjusi.

Jo dantys buvo sveiki, o akys blizgėjo.

Kažkur nugrimzdau.

Nepažįstamas balsas sakė, kad greitoji pagalba atvažiavo per kelias minutes. Kažkas kūkčiojo – gal mano duktė.

Jie primygtinai įkalbinėjo mane atsimerkti. Neketinau: man visai nerūpėjo XXI amžius, dėl kurio jie visi buvo pamišę.

Šypsojausi rami ir patenkinta. Norėjau visiems atskleisti, kad būti senai – labai gera.

Paskui ir tai pamiršau. Geltona šviesa užliejo atmintį.

Paskutinę akimirką prieš prarandant sąmonę švystelėjo minties nuotrupa, jog labai kvaila šitaip nusialinti dėl kažkokios knygpalaikės, kuri apdulkėjusi stovės knygų lentynose.

Net sumečiau, kad jos niekas nepirks – kam šaus galvon savo noru priartinti mintis apie gyvenimo pabaigą?

Šyptelėjau: aš jiems iškrėsiu bjaurų pokštą – visiems.

Kažkas ištarė:

„Ji dar gyva – ji šypsosi!"

Supykau – mane dar šiltą jau buvo nurašę.

„Taurelę martinio per pipetę!" – pareikalavau.

Iš paskutiniųjų bandžiau išspausti griežtą toną.

Pasigirdo chaotiškas lakstymas į visas puses, ir man į burną ėmė tekėti šleikštus skystis.

„Tai brendis! – sušvokščiau. – Kaip jūs drįstate?!"

Vis dėlto rado kažką prancūziška. Šiluma ėmė tekėti gyslomis.

Jaučiau, kad jau galiu pajudinti koją – slapčia pamankštinau, kai visi nusisuko.

Kol kas nebuvau tikra, ką reikėtų daryti toliau. Privalėjau apmulkinti visus, kad neįkištų manęs į nervų ligoninę ar silpnapročių senelių prieglaudą.

„Prancūziško kremo! – pakėliau balsą. – Ne, geriau mišinį iš kiaušinio trynio ir aliejaus su septyniasdešimt dviem lašais martinio!"

Vos neuždusau nuo tramdomo juoko, kai mano gelbėtojai, susimetę į kupetą, kantriai skaičiavo konjako lašus. Neturėjau žalio supratimo, ar tokių kosmetinių kaukių būna.

Kai jie pagaliau baigė, pareikalavau, kad mane nupraustų šaltu vandeniu, o tada visi išeitų iš kambario.

Piemuo, atvažiavęs greitąja, bandė prieštarauti.

„Vaikuti, kviečiu pietų į „Stiklius" po trisdešimties metų, jei dar paeisi", – švelniai šyptelėjau, ir daktariūkštis išsinešdino pirmas.

Visi sutrikę vykdė kvailiausius paliepimus, bet vis tiek nebuvau tikra, ar man pavyks išgrūsti lauk visą šutvę ir pasilikti vienai su senukų vadeiva.

Pamojau pirštu:

„Eikš artyn!"

Krūptelėjo ir apsidairė, ar tikrai kviečiu jį. Jam pakako jėgų žengti išsitiesus, tačiau susigūžė it nešertas šunytis.

„Išprašyk visus lauk – turime reikalų!"

Įsakmiai jiems mostelėjo, ir man nereikėjo įsakinėti silpnu balsu. Jaučiausi sutaupiusi jėgų dvikovai.

„Atiduok tai, ką paėmei", – pagrasinau tyliai.

„Ne, negaliu... Aš mirsiu, jei vėl prarasiu visus norus..." – vapėjo.

Paskui jam tvoskė išganinga mintis, kaip mane įveikti.

Ėmė gąsdinti, kad, grąžinusi jam viską, ką patyriau sendama, vėl būsiu banali moteris, eikvojanti laiką niekams – tuščioms kalboms su draugėmis, atsitiktiniams ryšiams, niekingoms pramogoms, kurios net nepralinksmina.

Jis buvo visiškai teisus.

Iš paskutiniųjų jėgų prisitraukiau jį kaulėtomis rankomis ir įsisiurbiau į lūpas. Priešinosi kaip įmanydamas.

Kai atsitraukiau, ant lovūgalio kiūtojo susirietęs blyškiaveidis senukas.

Jaunas mano kūnas buvo pasirengęs lėkti į priekį – nežinia kam, nežinia kur, nežinia kodėl.

Nusikvatojau. Banali jauna beprasmybė man atrodė labai žavi.

Trinktelėdama durimis dar pamačiau ant grindų besivoliojančių porą savo mašinraščio lapų.

Niekaip negalėjau prisiminti, kodėl knygos apie senatvę rašymas man atrodė toks svarbus.

Už slenksčio manęs laukė pirmyn skuodžiantis XXI amžius.

POSŪKYJE – NEIŠLĖK

„...Ir tada jis prasispraudė artyn tarp klauptų ir, įsivaizduok, uždėjo delną man ant užpakalio!

Ir brauko per slidžią suknelę, kišdamas pirštus vis giliau tarp kojų...

O aš bijau pajudėti, kad žmonės nepamatytų..."

„Bažnyčioje?"

„Per pačias pamaldas. Ar gali įsivaizduoti, kaip išsigandau? Vyrai prie manęs visada lindo. Visur – turguje, parduotuvėje. Nuo dvylikos metų gatve ramiai eiti negalėdavau...

Todėl man taip ir atsitiko, kad prigimtyje yra kažkas paleistuviška.

Bet aš visada buvau ištikima savo vyrui..." – Vivina užsidengia rankomis galvą ir kūkčioja.

Aš irgi užsidengiu galvą paklode – negaliu sulaikyti juoko.

Bažnyčioje kažkoks iškrypėlis grabalioja trisdešimt aštuonerių metų moterį, o ji mano, kad Dievas už tai jai nuleido bausmę – genitalijų vėžį.

Nuo tramdomo juoko man labai skauda perpjautą pilvą, bet, jei nebijočiau jos įžeisti, kvatočiau visa gerkle.

Mudvi su Vivina gulime Onkologijos instituto palatoje. Abiem išpjauta gimda, kiaušidės ir apskritai viskas, ką galima išpjauti iš moters dubens.

Tikrasis jos vardas – Viviana, bet girti krikštatėviai Dūkšte praleido raidę.

Jei iš šitos skylės sugrįšime namo, abiejų laukia puiki ateitis: mylintys vyrai, mažamečiai vaikai ir nerealizuoti troškimai.

Vivina kiek pakūkčioja, šnirpščiasi nosį ir pailsusi guli be žado. Turime dar labai mažai jėgų po operacijos, trukusios keturias valandas.

Laukiame atsakymų, kokius organus, be moteriškų, dar yra apgraužęs vėžys.

Vivina jaunesnė už mane.

Išvargusi nuo verksmo nepastebi, kad viena jos krūtis išsinėrė iš valdiškų marškinių. Putli ir baltut baltutėlė.

Niekada neturėjau tokios prašmatnios krūtinės.

Nors nuo operacijos praėjo vos pora dienų, atkreipiu dėmesį, kad į vyrus ir moteris imu žiūrėti ne kaip į kūniškas būtybes, o kaip į meno kūrinius.

Vaikščioja, yra šilti ir su krauju, bet visai man nereikalingi. Nei paliesi, nei užsigeisi – mano pačios kūnas nukraujavęs, beaistris ir užgesęs.

Tarsi kiek per greitai. Viešpatie, beveik nieko nespėjau.

Viename vakarėlyje prieš operaciją, dar nenutuokdama apie savo ligą, netyčia pamaniau, kad turėčiau nors kartą gyvenime nuslysti į šalį.

Nes taip ir numirsiu nieko neišbandžiusi.

Klastos, apgavystės, aistringo ir uždrausto dulkinimosi su kokiu svetimu vyru.

Tikriausiai būtų puiku – neleistinas vaisius kaip nuodas virintų kraują.

Viskas – apmaudžiai per švaru.

„Neverk, Vivina, – sakau. – Pagaliau mylėtis galima ir kitokiais būdais. Svarbu, kad nemirtume".

„Aha. Pavyzdžiui, analiniu. Vyras bus labai patenkintas.

Niekada nesiryždavau eksperimentuoti, nors jam būtų

oi kaip patikę", – kikena iš savo lovos Vivina, prilaikydama sužalotą pilvą.

Palatos duris atidaro jaunas daktaras, užvakar vieną po kitos išmėsinėjęs mus abi.

Tikriausiai jam ir į galvą neateina, kad mudvi – senos bobos – dar norėtume jaustis moterimis.

Užtat abi kaip susitarusios jį seksualiai įvertiname. Ilgos galūnės, gražūs ir stiprūs pirštai. Ir ten turėtų būti ilga, elastinga ir pajėgu.

Prunkščiame it drignių gavusios. Jaunas chirurgas žiūri nustebęs, bet numoja ranka – vėžininkės linksminasi. Greičiau pasveiks.

Arba užsilenks po poros metų.

Kas jam – jis čia kas savaitę gauna po keliolika vėžio apardytų pamišėlių. Net veidai atmintyje neišlieka.

„Gal mums nuo narkozės galvoje negerai?" – gailiai skundžiasi Vivina.

Aha, turbūt nuo narkozės.

Atėjau į pirmąjį pasimatymą gyvenime. Su savo tėvu. Man – penkiolika. Truputį virpa kojos.

Matau jį minioje iš tolo. Gražus ir aukštas mano tėvas, kurio neįmanoma nepastebėti.

Jis plevėsuoja plaukais irdamasis Laisvės alėja artyn prie manęs, o jaunos ir senos moterys sulaiko kvapą, kai su jomis susigretina.

Ir kvailai spokso kaip į aukštai pakabintą meduolį – gražu, bet ne tau.

Aš labai panaši į savo tėvą – stoviu ant aukštos fontano atbrailos įsitempusi kaip styga. Kad visi matytų.

Svarbi pati sau ir ryški kaip ką tik turguje nutapyta teplionė, nors ant manęs nėra nė kruopelytės dažų. Iš tų, kurių nepajėgs mylėti, bet niekada nepamirš.

O jisai eina ne pas jas, moteris minioje, o pas mane, vienintelę savo dukterį. Aš – visatos centras.

Priartėja ir paprastai sako: „Sveika". Tarsi paskutinį kartą būtume matęsi ne trečioje klasėje. Kvepia kažkuo svaigiai aštriu.

Nepuola tėviškai apkabinti. Apeina ratu ir tyrinėja, tarsi stebėdamasis, kad netyčia padarė tai, į ką dabar žiūri.

Laisvės alėja skrieja prieš akis vis greičiau, bet aš to nepaisau ir šypsausi.

Nuo šiol visą gyvenimą mane parklupdys vyrai, netyčia pasipurškę pažastis brangiu provokuojamo kvapo tualetiniu vandeniu. Net kai nesiklaupsiu – smigs per širdį.

Bet aš to dar nežinau. Lengvai sklendžiu nuo fontano krašto į šiltą savo tėvo glėbį.

Niekada nepatirtas jausmas.

Metro septyniasdešimt dviejų esu tokia maža šalia jo ir man reikia aukštai užversti galvą. Kaip lengva žiūrėti aukštyn, kai tikiesi geriausia.

Aukšti vyrai man visada atrodys galintys apginti. Ne tik nuo kitų – labiausiai nuo savęs pačios.

„Tave reikia perrengti", – paprastai sako tėvas ir vedasi į parduotuvę.

Jis perka perka perka, o aš nematau ką, nes nepajėgiu visko atlaikyti.

Laimės dozė – per didelė sužeistai mergaitės širdelei. Ja reikėjo mažomis porcijomis, kaip žuvų taukais, maitinti ilgus metus, o ne vienu kartu atiduoti miesto universalinėje.

„Jis ją aprengė kaip mažą damą. Keista pora", – išgirstu eidama iš parduotuvės.

Argi man svarbu, ką sako tos vargšės?

Nuo šios akimirkos turiu tėvą. Pirkinių krepšyje – daug raudonos spalvos. Bent jau riestanosiai bateliai – tikrai raudoni.

Liūdesio spalva metų metus bus raudona. Uždariusi tos parduotuvės duris, daugiau niekada nepaisysiu, kas, ką ir kodėl apie mane sako.

Bet šito dar irgi nežinau.

Mano tėvą prieš tris savaites ištiko mikroinfarktas. Tik todėl kitą dieną jis vėl ateina susitikti su manimi, nes pirmą kartą gyvenime turi laiko. Jam – trisdešimt aštuoneri.

Mudu bastomės po miestą. Patenkame į spūstį, nes susidegino Kalanta. Mudviejų troleibusą apverčia.

Man mažiausiai rūpi, kas tas Kalanta. Tegul susidegina pusė miesto, kad tik galėčiau cypti sprukdama nuo milicijos įsitvėrusi savo tėvui į ranką.

Lėkdami ištaškome visas balas. Tyčia pasirenkame pačias purviniausias – kad žviegti būtų dėl ko.

Mano eisena tokia kaip jo – abu šleivojame. Mano šlaunys – nulietos tėvo šlaunys: gerokai per storos liaunai figūrai.

Mus juokina tie patys dalykai – kvailos laikraščių antraštės, saldi lietuviška estrada ir storas katinas, per tingiai sėlinantis prie žvirblio.

Nustėrę žiūrime vienas į kitą.

Ar gali būti, kad kartu niekada negyvenę žmonės vaikščiotų vienodai, mėgtų grybų sriubą be grietinės ir vakarais kurtų planus, kaip rytoj apvers pasaulį?

Na, bent jau pabėgs iš namų.

Tuoj pat pabėgame. Išsinuomojame apykiaurius miegmaišius, nuvažiuojame į pievą prie Nevėžio ir iki ryto gulime rasoje žiūrėdami į dangų.

Kam nors paskambinti, kur dingome, nėra galimybių – mobilieji dar neišrasti.

Paryčiu truputį šaltoka. Tėvas svarsto, ar po mikroinfarkto galėtų truputį gurkštelėti gėralo iš savo gertuvės. Klausia, ar jau esu ragavusi alkoholio.

Esu ragavusi limonado – šleikštus.

„Svarbiausia – niekada nerūkyk. Bus negraži oda, – moko. – Visi kiti dalykai – ne tokie baisūs".

Nerūkau iki penkiasdešimties metų. Net neužsidegu cigaretės, nes taip prieš trisdešimt penkerius metus man patarė tėvas. Iki šiol kas nors vis pagiria vaikišką mano skruostų spalvą.

Kitų dalykų dar nesu išbandžiusi.

Net neįsivaizduoju, kas galėtų būti tie kiti dalykai. Kai neprotestuoju prieš visą pasaulį (dažniausiai – prieš savo isterikę motiną), esu pirmūnė su kietai supintom juodom garbanom.

Dabar garbanos palaidos ir šlapios nuo rasos.

Tikrai labai šalta. Mudu sulendame į automobilį. Miegmaišiai drėgni kaip grindų skuduras.

Protingiausia būtų vežti mane namų link. Bet aš nesutinku – vos prieš kelias valandas iš jų pabėgome.

Šlapi ir drabužiai. Tirtu.

Tėvas nuvelka drėgną mano megztinį. Įsikniaubiu į šiltą jo krūtinę. Niekas gyvenime nėra manęs taip jaukiai priglaudęs.

Prie nieko gyvenime nesu taip patikliai prigludusi.

Tvirtas jo delnas masažuoja sustirusius pečius.

„Man visur šalta", – gailiai skundžiuos.

Įgudusiais judesiais smarkiai trina kūną šilta ranka, tarsi būtų metų metus tai daręs kaskart, kai pareidavau permirkusi. Tokia ir grįžtu namo, kai su klasės bernais šokinėju per aplytas gyvatvores.

Bet jis tikrai nėra to matęs – turbūt net neįsivaizduoja, kaip aukštai galiu išmesti kojas.

Užtat dabar pešteli už plaukų, juokais žnybia į užpakalį. Užkloti rūko, spygaujame Nevėžio lankoje kaip bepročiai. Niekada gyvenime nebuvo taip linksma.

Jo pirštai užkliūva už sintetinių mano kelnaičių. Atitraukia ranką tarsi nudegęs.

„Tu labai suaugusi. Net nemaniau, kad penkiolikmetės būna tokios... subrendusios. Ar tau tikrai – tik penkiolika metų?"

Jis net neprisimena tikslios mano gimimo datos.

Įsižeidusi trukteliu kelnaičių gumą žemyn.

„Pasižiūrėk – penkiolika".

Įžūliai rodau jam savo susiraičiusias garbanėles, tankias kaip ir ant viršugalvio. Neketinu niekam nusileisti – juo labiau tėvui, kurio niekada neturėjau.

Jis žiūri tarsi būčiau jam parodžiusi kalavijo ašmenis arba rusišką sprogmenį.

Tyli.

Atsargiai lenkiasi, sustingsta virš manęs, bet, matyt, apsisprendžia.

Palengva ima bučiuoti ten, kur aš apskritai neįsivaizduoju, kad kas nors bučiuotų. Mane nusmelkia ugnis.

Esu labai apstulbusi, bet nenorėčiau, kad jis liautųsi.

„Ar jau esi su kuo nors mylėjusis?" – tyliai klausia.

Jo balsas prislopęs. Tyliu, nes nežinau, ką sakyti.

Jis laukia. Tai suprantu, bet nežinau – ko. Ir ką turėčiau daryti.

Jo ranka atsargiai kyla mano liemeniu aukštyn ir pasiekia vieną mažą ir šaltą kaip ledas krūtį.

Liepsna po mane plinta. Tyliai vaitoju.

Esu jam labai artima. Nieko nebijau. Jis negali manęs nuskriausti, nes yra mano tėvas.

Jis susiranda mano lūpas. Liežuviu liečia dantis.

„Dar. Noriu dar. Pakartok šitai..." – šnabždu, o paskui įsiaudrinusi šaukiu taip, kad man atrodo, jog girdi visa Nevėžio lanka.

Iš tiesų net nepraveriu burnos tarsi būčiau bežadė.

Jis glamonėja mane vis atkakliau liesdamas visur ir viską. Nieko puikesnio nesu patyrusi.

Kai suprantu, kad jis darys tai, ko nesitikiu, mano kūnas įsitempia.

„Ar jautiesi taip, tarsi kas nors kėsintųsi paliesti tau atvirą akį?"

Iš kur jis žino? Būtent taip ir jaučiuosi.

Aikteliu iš netikėtumo. Ugnis bangomis vilnija po visą kūną.

O Dieve, kokia buvau kvailė, kad nedariau to anksčiau! Iš kur galėjau žinoti.

Įdirgintas kūnas pulsuoja ir skleidžia karštus ratilus.

Žliumbiu iš palaimos ir dėkingumo.

Jis švelniai glosto mane. Turbūt mano, kad verkiu iš nuoskaudos. Tik vyrai gali būti tokie neišmanėliai.

Apsičiupinėju. Mašinoje – jokio kraujo. Gal aš jau gimiau kalta arba persiplėšiau tą vietą pati, su bernais šokinėdama per gyvatvores?

Nuoga maklinėju po pievą, gyvas geismas ir begalinė nuostaba. Aš – moteris. Kaip paprasta.

Galėčiau grįžti atgal ir tuoj pat viską pakartoti iš naujo, bet nežinau, ar kas nors taip daro.

Kai per rasą parbrendu atgal, mano tėvas miega šiek tiek

pravėręs burną, visai nuogas ir nepatogiai pasidėjęs ranką po nugara.

Dabar jau aš tyrinėju jį tarsi kokią statulą, nors jis nėra mano kūrinys.

Štai kaip atrodo vyrai. Štai kaip jie elgiasi. Labai įdomu. Tikrai verti dėmesio padarai.

Kai išaušta, tėvui ima daužytis širdis, todėl mudu važiuojame į ligoninę.

Man nesidaužo niekas.

Aš nenustygstu vietoje, sukiojuosi į visas puses ir tyčia spyruokliuoju, kai automobilio ratai stukteli į duobę.

Mėgaute mėgaujuos iš vaikystės miego pažadintu savo kūnu. Aš – laiminga, o protingas vaikas verktų.

Kol ligoninėje skaičiuoja tėvo pulsą, aš galvoju apie mus apkalbėjusias pardavėjas.

Tokios nususiusios, o viską nujautė.

Rytojus prasideda taip, kaip ir turi būti.

Mano motina, per naktį sukėlusi ant kojų miliciją, gaisrinę ir lavoninę, pažada atsiskaityti su tėvu visais galimais būdais.

Pavyzdžiui, išsireikalauti trigubai didesnių alimentų.

Kol ji plyšauja, atrodo tokia negraži, kad man daugiau nekyla klausimas, kodėl tėvas mus paliko.

Mudu su tėvu nustebę žiūrime. Buvome kitame pasaulyje, ar supranti?

Ji nesupranta.

Ir niekada nieko nesupras, kad ir kas, kada, kur man nutiktų. Tenka ją nurašyti kaip visiškai niekur nepritaikomą kliuvinį, komplikuojantį paprasčiausius dalykus.

Ramia sąžine taip ir padarau. Ir niekada dėl to nesigraužiu.

Graužatis ateina iš ten, kur visai nesitikiu.

Mano tėvas negali nuo ryto iki vakaro braidyti su manimi po miškus ir mylėtis pievose. Jam neatlaiko širdis. Be to, jis turi pareigų.

Labai keistas atradimas.

Kartais laukiu jo kieme prie savo namų po pusdienį ir nesuprantu, kaip per tą laiką jis nemiršta iš ilgesio.

Jis ne tik nemiršta, bet kasdien tampa vis niūresnis, o kartais – net irzlus.

Vieną dieną rimtu veidu praneša man, kad ilgiau šitai negali tęstis.

„Kas negali tęstis?" – klausiu blykštančiu veidu.

„Šitai, – sako jis. – Po trijų dienų – tau į mokyklą".

Visai išgaravo iš galvos. Rugsėjis atėjo neprašytas.

Aš įtemptai mąstau. Taip, penkiolikmetės mokinės negali mylėtis su savo tėvais, nes tai – kraujomaiša.

Bet gruodį man sukaks šešiolika. Ir apskritai – koks kieno reikalas.

Jeigu jam reikia, aš galiu niekada netekėti ir po studijų išvažiuoti į kaimą, nusipirkti „Zaporožietį" ir kas antrą dieną atvažiuoti į Kauną. Mudviejų niekas nesuseks.

Jis to nenori.

Jis sako, kad mudu apskritai negalime susitikinėti, nes iš to nieko gera nebus, tik nemalonumai.

Va taip vyrai palieka meilužes. Pirmoji suaugusiųjų klano pamoka.

Taip gerai ją įsidėmiu, kad ir po trisdešimties metų visada paliksiu aš, kol kas nors kitas taip su manimi nepasielgė ir neperplėšė širdies.

Suerzintas atkaklaus mano tylėjimo, tėvas drebia vyrišką argumentą – aš nebuvau nekalta, nes elgiausi pernelyg temperamentingai.

Mano pečiai krūpčioja. Mintyse.

Antroji pamoka: niekada niekam nerodyk, kokio gylio tavo žaizda.

Tačiau pasimokau ne iš karto.

Grįžusi iš mokyklos, iki vėlyvo rudens slankioju po tėvo langais, nors iki jo namų reikia trenktis per visą miestą. Labai pavargstu. Neturiu pinigų talonams.

Bet man verkiant reikia su kuo nors pastrykčioti po purvinas, o dabar jau apledėjusias balas. Man reikia tėvo, kurį buvau atgavusi porą dienų ir žaibiškai ne savo valia praradau.

Jam taip neatrodo.

Jis neatsako į skambučius. Rašau jam beviltiškus laiškus, bet nesiunčiu – kam. Argi prirašytas popierius kam nors kada nors yra padėjęs?

Prašmatniai pasveikinta savo puskvaišės motinos, gruodį sukandusi dantis atšvenčiu šešiolika metų ir nustoju slankioti po tėvo langais.

Per užtrauktas užuolaidas vis tiek nieko nematyti iš man neprieinamo jo gyvenimo.

Mano studijos – prašmatnios. Tėvas atidaro man sąskaitą, išnuomoja kambarį Žvėryne ir nuperka naudotą šaldytuvą.

Niekada neatvažiuoja. Niekada neskambina. Nerašo laiškų.

Šitos būsenos nekęsiu visą gyvenimą. Kai tau mirtinai reikia, o kitas žmogus neatsiliepia.

Aš – viską turinti panelė iš Kauno, bet kada galinti sau leisti „Neringoje" sušveisti Kijevo kotletą. Šveičiu.

Išpūtusi akis žiūriu, kaip filologės laksto su fizikais. Ką jos tuose jaunuose kvailiuose randa? Obuolio kritimo formulę?

Tingiu dažytis. Negeriu. Nevaikščioju į paskaitas. Pasiskolinu svetimus konspektus ir abejingai išlaikau padidintai stipendijai. Visai neatsimenu, ko universitete moko.

Ką veikiu? Liūdžiu ir svaičioju. Kas bus. Kas galėtų būti. Ko niekada nebus.

Svaičiojimas yra mano gyvenimas.

Kartais pastoviniuoju ant tiltų. Ne žudytis. Kam? Abejingi žmonės nesižudo.

Strazdanotas chemikas trečiame kurse nusiveda į Filharmoniją. Einu tik todėl, kad visai nerūpi. Jeigu jis paliestų mane su pirštinėmis, susivemčiau sietynų šviesoje.

Jo senelė baigusi konservatoriją, o jis pats – būsimasis mokslų daktaras. Labai originalu.

Bet jis nori vis daugiau. Pirkti man gėlių. Važiuoti su manimi prie jūros. Supažindinti su kažkuo, ant ko man – nusišikt.

„Ar tu žinai, asile, kad nuo penkiolikos metų aš dulkinausi su savo tėvu?!" – suklykiu jam vieną speiguotą vakarą, kai žibinto šviesoje jis bando mane prisitraukti ir pabučiuoti į lūpas.

Kažkodėl įsidėmiu, kad smarkiai pusto. Sniegas drožia veidą aštriomis geležtėmis.

Chemikas atšlyja ir traukiasi atbulas. Taip tau, galvijau, ir reikia.

Bet prie jūros tenka važiuoti vienai. Niekas nepalydi iki autobuso ir nepaneša krepšio. Stotyje žiūriu į jaunas merginas, apkabintas per pečius.

Net jūroje kitos maudosi apsivijusios mulkiams kaklą. Jų reikalas.

Mano reikalas – būti vienai.

Po metų išvystu chemiką, tarsi šunelį susigūžusį po filologijų beržu. Jis žiūri į mane prašančiomis akimis.

Mergos sako, kad jis ten stovi jau kelias dienas. Nesidairau po kiekvienu medžiu – nesitikiu ten ką nors rasti.

Prieinu ir pasikviečiu į namus – ar man gaila? Gana nuoširdžiai pasišnekame. Jis trypia, tempia gumą ir akivaizdžiai nenori išeiti.

Prieinu, užrakinu kambarį, prispaudžiu jo nugarą prie užrakintų durų ir visu kūnu nuslystu žemyn prie džinsų užtrauktuko.

Įsivaizduoju jo pritvinkusius kiaušus nuo to beviltiško stovėjimo po beržu ir fizinį palengvėjimą, kurį viens du galiu jam suteikti, nes man tas pats.

Šaltai ir metodiškai darau tai lyg būčiau baigusi specialius kursus. Jis blogai nusiprausęs – tokios tėkmės neplanavo.

Baigiu.

Spermos patenka net į akis – per galinga čiurkšlė. Užsidarau vonioje ir pusę valandos žiaukčioju. Ramiai, metodiškai.

Jei man būtų reikėję iš tikrųjų su juo mylėtis, dabar greitoji išvežtų mane be sąmonės.

Jis išeina laimingas, taip ir nesupratęs, kad niekada tarp mūsų nieko nebus. Du nesusisiekiantys indai, atskirti mano tėvo rankų.

Po savaitės išteku. Jo konservatoriją baigusi senelė fortepijonu skambina mums kažkokį sudėtingą kūrinį.

Vestuvėse nėra mano tėvo. Neadekvati mano motina pribaiginėja kalbomis naujuosius gimines. Užstalėje laido treles apie kažkieno dovanotų pūkinių patalų grožį.

Atstumas tarp manęs ir motinos, kai ji atitraukė mane nuo krūties – keli šviesmečiai.

Atstumas tarp manęs ir chemiko, ką tik tapusio mano vyru, dar neįvardytas – mokslas tokio nuotolio nežino.

Seksas su juo labai geras. Tiksliųjų mokslų atstovai linkę į eksperimentus, todėl greitai daro pažangą.

Išmokstu gašliausių dalykų. Azartas: noriu vis daugiau ir daugiau, po keliolika kartų per parą.

Sulystu kaip katė per morčių, paakiai – mėlyni. Pavasaris, visiems sunku.

Niekada nesileidžiu, kad mane bučiuotų ir žiūrėtų į akis – nei vidury nakties, nei saulės blyksnyje. Per daug pavojinga. Akys – skaisčiai tuščios.

Puikiai žinau, kad šitaip jaučiasi išradingai dulkinamos kekšės.

Gyvenu ramiai, nes man nieko nereikia mylėti, todėl visai neskauda, kad ir ką jis sumanytų – prieš mano valią perstatyti baldus ar gerti alaus bare iki vidurnakčio.

Mano ramybė jam pradeda nepatikti – įtaria klastą.

Klastos nėra: pats veržeisi kaip drugys į liepsną.

„Prašau atimti iš manęs motinystės teises, nes gera motina aš nebūsiu. Visai neturiu tam talento ir net paprasčiausių sugebėjimų.

Gyvenimas kartu su manimi yra kankynė.

Nesugebu tikrovės traktuoti taip, kad mano elgesys būtų parama kokiam nors kitam žmogui. Juo labiau vaikui – man pačiai nuolat reikia paguodos ir net globos.

Iš vaiką pagimdžiusios moters teisinga būtų norėti bent šiek tiek išminties ir kilnumo. Nesvarbu, kokiomis sąlygomis ji gyvena, ar yra patenkinta savim ir aplinkiniais.

Manęs motinystė nepakeitė. Aš esu kokia buvusi ir gal net blogesnė, nes dabar jau nebeturiu vilties, kad galėčiau pasikeisti.

Motinystė galutinai sužlugdė mano pasitikėjimą savimi. Jeigu būčiau likusi senmergė, bent turėčiau iliuziją, kad moters gyvenimo pilnatvė yra vaikai.

Per vaiką pirmiausia praradau galimybę svaičioti, nes, jam gimus, nuolat reikėjo daryti tai, ką privalau daryti dabar ir jokiu būdu nepavyksta atidėti.

Šildyti pieną ir sugirdyti jį minučių tikslumu, o ne tada, kai mano būsena tokia, kad aš jau galėčiau jį maitinti ir maitindama patirti ką nors panašaus į motinystės palaimą.

Nuo šiol man visą laiką reikia būti su žmonėmis. Kas, kad tas žmogus muistosi vystykluose.

Jo buvimas neleidžia man susikaupti, svajoti ir svaičioti apie tai, kas bus, kas galėtų būti, ko niekada negalėtų būti.

Niekada nebuvau patyrusi, kad reikėtų šitaip smarkiai priklausyti nuo pareigos.

Iki vaiko atsiradimo bet kuriuo momentu galėjau atsisakyti visko – eiti laikyti egzamino, net jei kai kuo ir rizikuodavau.

Nusigręžti nuo žmogaus, jeigu jis man bjaurus (kas, kad jam gal bus skaudu).

Sviesti bjaurią frazę savo motinai, jeigu ji prarado saiką pamokslaudama (aš juk stipresnė, todėl ir nepažeidžiama).

Manęs niekas negalėjo sulaikyti, jei pati nesiteikdavau sustoti ir įsitikinti, ar noriu čia stovėti.

Aš didžiavausi, kad pagaliau įgijau šarvą ir mane ne taip paprasta nuskausti: su mano šlykščia kompleksuota vaikyste baigta.

Kibūs namų čiuptuvai manęs jau nebegali pasiekti: niekas daugiau neaprėks, nesvaidys į mane daiktų, nepuls ne laiku glamonėti, nevers būti dėkingos.

Garsiai neištars dalykų, apie kuriuos net baisu pagalvoti, kad šitai kas nors galėtų bent nujausti.

Visai laisva nebuvau: tabu ir draudimai lyg ir egzistavo, bet jie buvo besvoriai, nes nelabai ką lėmė.

Vis pasijusdavau galinti jais žaisti ir žongliruoti, priklauso nuo to, ką šią akimirką jaučiu, manau, žinau.

Stabčiojau, kai panorėdavau, ir vis galvodavau apie tai, kas vyksta: tai ir buvo vienintelė prasmė, vienintelė prabanga, kurią tikrai vertinau nuo vaikystės.

Autonomijos ir vienatvės prabanga.

Rėkiantis gniutulas be ceremonijų ją pasiėmė mano pačios valia, nes juk turėti vaiką aš norėjau ir gimdžiau sąmoningai, o ne atsitiktinai, kai paprasčiausiai nemokama to išvengti.

Iki tol buvau visiška išskydėlė, nors tariausi, kad žinau, ko noriu – aprašyti visa, kas man atsitinka, bet iš tiesų didžiąją laiko dalį apskritai nieko neveikdavau, tik svaičiodavau.

Besaikis visokių dalykų nagrinėjimas, sumišęs su tinginyste, svaigino taip smarkiai, kad vaikščiodavau, tarsi sapnuodama.

Visa buvo ryšku, stipru, įspūdinga, bet intensyvus vidinis vyksmas kunkuliavo pats sau ir nevirsdavo veikla.

Baisu tapdavo vakarais: gyvenimas, mano vertingas gyvenimas, slysta pro pirštus, o aš taip nieko ir nesugriebiu.

Kai tik nutardavau griebti, vis paaiškėdavo, kad viskam reikia pastangų, o stengtis neišmokau, nes egzaminai ir juokingos pseudopareigos to daryti nevertė.

Puikiai slydau per juos žaisdama.

Bet prasmės man reikėjo ir karštligiškai jos ieškojau, nes juo menkesnė veikla, juo stipresnis poreikis rasti atsvarą.

Instinktas sufleravo: apsitupdyk vaikais, apsisaugok jais nuo nelabai suvokiamos, bet jau sėlinančios grėsmės – nežinojimo, kur save dėti.

Lengviau sutramdysi besaikius norus, niekada nepatirsi, ko iš tikrųjų esi verta, nes motinystė – didžioji visų laikų dogma – apsaugos nuo priekaištų: buvo, bet nieko nepadarė.

Glamonėk šiltus sprandelius, nuo prakaito sulipusius plaukučius, karpyk purvinus nagelius ir neturėsi laiko galvoti apie savo bevertę vertę – kaip paprasta."

Pabundu iš sunkaus miego.

Silpna. Lyg ir plaukiu kažkur, trūksta oro. Apgraibom ieškau lovoje vaiko – ką tik jį maitinau – ir negaliu rasti.

Besvorė antklodė slysta. Turbūt užmigusi paleidau jį iš rankų, ir dabar...

Klykiu nesavu balsu.

Pro duris į mane sužiūra ištįsę veidai: smerkiantis – mano motinos, suglumęs – mano vyro.

Sūnus jau valandą miega kitame kambaryje, man kilniaširdiškai leista atsipūsti. Man gėda, bet siaubo pamiršti negaliu.

Atsikeliu ir drebančiomis iš silpnumo kojomis prišliaužiu prie lango: kieme siautėja vaikai.

Jų lakstymas man pasirodo siaubingas iškrypimas – juk kam nors reikėjo juos pagimdyti ir maitinti krūtimi šešis kartus per parą.

Iš silpnumo ir pasibjaurėjimo vėl slystu į šiltą miglą.

Kai atsigaunu, man atneša vaiką, ir aš jį maitinu, nes kitos išeities nėra. Iš paskutiniųjų stengiuosi neinkšti. Mano vyras stebi mane didelėmis akimis.

Kaip ligonį, kuriuo negalima pasitikėti ir kuriam reikia komanduoti griežtu tonu.

Mano požiūriu, jo elgesys absurdiškas: jis turėtų elgtis su manimi atlaidžiai, kai man šitaip bloga ir kai aš iš paskutiniųjų stengiuosi, kad iš rankų nekristų daiktai, neišsilaistytų buteliukai, nesitaškytų spalvoti vaistai.

Bet furacilinas susigeria į paklodę. Kalio permanganato skiedinys nešamas tykšta purslais. Glicerinas stebuklingu būdu pasklinda ant grindų.

Kasdien labai stengiuosi su jais susidoroti.

Neturiu jėgų. Kamuoja neviltis.

„Bet ką daro KITOS moterys?" – klausia mano vyras.

Iš tiesų: ką daro kitos moterys?

Mano gyvenimą tikras, realus rėkiantis vaikas paverčia pragaru.

Nesugebėjusi nuslopinti gaivališko motinystės instinkto, nesugebu jam ir atsiduoti. Ir kaip galėčiau tai padaryti?

Sėdžiu ant kėdės nuo pirmos klasės ir darbu vadinu darbą prie knygų. Negi per mėnesį išmoksiu vien tik skalbti vystyklus, virti košes, plauti buteliukus ir visai neskaityti?

Man per sunku stumti vežimą nuo laiptų ir traukti prieš laiptus, nemiegoti naktimis, visą parą žiūrėti į keturias sienas ir kilnoti sunkų ir storą vaiką.

Man nuo to skauda nugarą, bet labiau – sielą.

Viską darau taip, kaip parašyta vadovėlyje apie naujagimių priežiūrą ir kaip man liepia mano dirgli prigimtis.

Bet įkvėpimo nejaučiu – vien baimę, kad ką nors padarysiu ne taip ir vaikui atsitiks kas nors neatitaisoma.

Kuo ilgiau ir stropiau viską darau, tuo labiau jaučiuosi atskirta nuo pasaulio, kuriam nesu svarbi su savo košėmis.

Ir nuo artimų žmonių, kurie iš manęs reikalauja vien tobulo motinos vaidmens, tarsi gimdama jau privalėjau turėti įgūdžius, kurių reikia dabar.

Niekas net nenori gilintis, kodėl šita aiški ir paprasta situacija – moteris augina savo mažą vaiką – vis labiau mane slegia.

Vieną dieną, kai jau visiškai aišku, kad mane tuoj ištiks isterija, padaroma malonė – vyras išleidžia mane į miestą nežinia kam.

Nes argi nemiela visas jėgas atiduoti žaviam vaikučiui ir šeimai, pažiūrėk, ar taip elgias Birutė?

Aš lekiu per miestą kaip beprotė, pasirengusi iš džiaugsmo išbučiuoti troleibusą už tai, kad jo nereikia maitinti.

Ir negrįžtu visą dieną.

Kai grįžtu, vaikas klykia nesavu balsu. Į virtuvę ir vonią sunku įžengti.

Visą naktį aiškinamės.

Aš sužinau, kad tėvystė susideda iš didžiavimosi, jog užmezgei sūnų ir jis yra šioje žemėje, auga, vaikščios, ką nors manys žiūrėdamas į upę arba blokinio namo sieną.

Kad kada nors iš to manymo ir kitų manymų rasis kokie nors svarbūs darbai, ir tai jau bus šis tas.

Bus vyriška, jeigu jo sūnui taps svarbus šitas pasaulis, kad net panorėtų jį keisti pagal savo supratimą. Va tada, kai atsiras saviraiškos poreikis, jis, tėvas, tikrai bus reikalingas, nes kiekvienas jaunuolis įžengia į ypatingų kankynių metą, kai nesupranta pats savęs ir aplinkinių.

Štai tada jam reikės padėti nesuteptam išlįsti iš pirmųjų nuodėmių, paneigti mokyklinius tabu, padėti įsigyti naujų, kurie iš tabu virstų principais.

Visa tai reiškia, kad jis yra tėvas ir jaučia atsakomybę už savo sūnų, bet dabartinio mano chroniško nuovargio ir chroniško nepasitenkinimo negalįs nei suprasti, nei pateisinti, nei pakęsti.

Todėl išeinąs.

Aš jį puikiai suprantu – jis toks pat kaip ir aš.

Mudu – aš su sūnumi – toliau gyvensime dviese.

Išėjusi į kiemą dairausi, kur save dėti.

Keturiolikmetės mergiotės siautėja su sviediniu bernų krūvoje: žviegia, raičiojas ir kilnoja sportbačius į viršų.

Gražu. Ir aš norėčiau, bet nedrįstu.

Bandau nutempti vaiką nuo smėlio dėžės.

„Sūniuk, einam į stadioną...“

„Ne!“

Jis nenori. Jis pyksta ir nesupranta, kodėl reikia eiti iš kiemo. Bet aš negaliu bėgioti aplink dėžę spoksant visiems mūsų namo langams.

O man reikėtų pabėgioti, bent jau tam, kad nekamuotų seksualiniai košmarai ir genialios mintys.

„Sėsk ant suolo!“ – sako sūniukas, piktas, penkerių metų.

Man negera sėdėti ant suolo. Nenoriu būti tik mama.

Man labai nuobodu būti tik nevykusia mama, nors nežinau, ar nykios būsenos priežastis yra tai, kad motinystė man – tik menka galimos harmonijos, kurią norėčiau justi, dalis.

Turėdama tą dalį, jaučiuosi dar labiau nutolusi nuo visumos, beveik beviltiškai ir amžinai.

Tarsi dabar jau niekada negalėčiau jos pasiekti. Tarsi nuo dabar jau visą laiką eičiau ne į tą pusę, nes nuo šiol daugybė dalykų, susijusių su mano vaiku, kartosis kasdien.

O aš negalėsiu nuo to pasitraukti (dalykų, kurie kartojasi kasdien, aš labai bijau).

Smaksodama ant suolo šitame kieme, slankiodama aplink aplamdytus metalinius žaidimų aikštelių griozdus, skirdama susikibusius vaikus, nejaučiu gyvenimo geismo.

Manęs neguodžia, kad šitai laikina, kad vaikas užaugs, ir aš vėl turėsiu marias laiko svaičioti ir bastytis. Gal net nenorėsiu jo turėti.

Nyku ir bloga dabar, šiandien, ir aš pasiduodu savęs gailėjimui.

Jeigu neslankiosiu, man teks grįžti į šaltus blokinius kambarius, kuriuose gyvenu viena su savo vaiku. Kur labai daug vietos.

Kuriuos galima tvarkyti, jei nori, bet lygiai taip pat ir netvarkyti, nes kas nuo to keičiasi (kaip būtų gera, jei, nusprendusi gyventi tvarkingai, galėčiau tuo džiaugtis).

Aš svarstau, kuo peni dvasią mūsų didelio kiemo moterys. Ir kaip prisiverčia kasdien eiti į tarnybą, vesti vaikus į darželį ir grįžti į tuos pačius namus.

Ir kasdien be jokio atokvėpio daryti tą patį.

Kokius darbus jos dirba ir kokią prasmę jiems suteikia, jei gali ramiai, nekeldamos vidinių ir išorinių isterijų, kasdien atlikti tai, kas nėra saviraiška – auginti vaikus.

Aš nenumanau, kuo būtų galima nuslopinti, atitolinti, pakeisti mintis apie prasmę.

Darbų, kuriuos tariesi privalanti padaryti. Darbų, kurių negali išvengti.

Man nepavyksta būti linksmai (vaikui juk to užtektų), nors mirtinai nesergu, nedvesiu badu, nesu visiška debilė.

Aš nieko negaliu priimti taip, kaip yra, ir vis viliuosi, kad nuo mano svarstymų kas nors pasikeis.

Užuot pasišnekėjusi su vaiku apie traukinius, kai jis prašo, mieliau svarstau malonumų – pareigos – darbo santykį savo gyvenime.

Mąstau apie tuštybę.

Nesąžiningumą. Gerumą. Nesavanaudiškumą.

Galvoju apie buitį ir pojūčius, kuriuos ji man sukelia: aš ja bjauriuosi ir manau, kad per ją sergu, būnu irzli, nesitvardau.

Mąstau apie savo kompleksus. Vienas iš jų – baimė ir nedrąsa pasinaudoti vyrais, kaip jie naudojasi moterimis, ir nekentėti seksualinių kančių.

Kaip galėčiau būti gera motina tuo metu, kai mane kankina geismas, kurio nedrįstu numalšinti su kuo papuolė, o nuslopinti negaliu?

Turiu marias laiko lyginti savo istorijas su kitų žmonių istorijomis, nors tikrųjų sąsajų niekada neaptinku: kitų istorijos – visada banalybė.

Svarstau, ar moku analizuoti tai, kas vyksta.

Svarstau begalę visokių dalykų.

Ir esu diktatorė bendraudama su vaiku iš baimės, kad neklausys ir privers mane atsitraukti nuo tūkstančio galvojimų.

Vaiko asmenyje aš tikėjausi įgyti prižiūrėtoją, kuris neleistų manipuliuoti dvasiniu pasileidimu, savidrausmės stoka ir sugebėtų įtikinti: daryk taip, nors nenori, nors tau nepatogu, tingu, nuobodu.

Eik su savo vaiku pasivaikščioti, šnekėk apie jam įdomius dalykus, pabandyk ką nors papasakoti apie save. Bent tą akimirką, kol pasakosi, jis tikrai bus tau dėkingas.

Bet tai vis tiek priverstinis aktas: manyje to nėra.

Manyje nėra jokio švento motinystės jausmo, suteikiančio prasmę mano buvimui.

Lengvai galėčiau išeiti bastytis po pasaulį, palikusi šituos namus, šitą miestą, šituos žmones, kurių nebus šalia, jei man iš tiesų prireiktų.

Jeigu net visa širdimi jų šaukčiausi, kai mane kamuotų neviltis arba liga. Juk tada juos valdys kitos būsenos, kiti rūpesčiai ir potroškiai.

Ir net atėję iš tikrųjų bus ne su manimi ir ne dėl manęs: juos atves jų pačių nerealizuoti norai, nepasitenkinimas savimi, dykinėjimas ar dar kas nors, ko tuo momentu aš nepajėgsiu suprasti.

Žmonės egzistuoja sau, o aš – sau su savo piktu vaiku, ir nė su vienu iš jų man nepavyksta susitikti, kad nereikėtų skirtis, nusivilti, nusigręžti.

O jie taip elgiasi su manimi, nes jiems aš irgi ne ta, kuri iš tiesų ką nors reikštų, kuri ateitų tada, kai reikia jiems.

Kartais man atrodo, kad viskuo kaltas vienišumas.

Ant suolo prie smėlio dėžės galvoju: gal kitos moterys tiesiog turi daugiau vaikų ir joms nėra kada svarstyti, kokia dabar jų būsena?

Gal jų tarnyba labiau varginama, ir vakare jos krinta negyvos iš nuovargio?

Gal turi su kuo bartis, ir barniai suryja visą jų menką potenciją galvoti apie tai, kas kokią prasmę turi?

Gal aš tiesiog ilgiuosi gilios ir tikros vyriškio, kurį pajėgčiau gerbti, meilės, kad paprasti darbai ir veiksmai įgautų prasmę?

Kartais aš myliu savo sūnų ir būnu net dėkinga už tai, kad jam manęs reikia, bet viskas tik kartais.

O didžiąją laiko dalį jaučiu tik nepasitenkinimą juokinga savo būtimi, šaltų kambarių baimę, liūdesį, kad nedrįstu šokinėti ir lakstyti per balas apsiavusi sportbačius.

Nors trokštu būti linksma, nerūpestinga, atlaidi ir gera, bet visiškai nieko iš to neišeina.

„Kur tu žiūri? – purto mane vaikas. – Juk medyje nieko nėra!"

Jis labai pyksta, kad esu su juo, bet iš tikrųjų ir vėl velniai žino kur.

O aš labai stebiuosi: ko iš manęs galima norėti, tokios liūdnos ir apgailėtinos?

Nors ką tik buvau kupina kilnaus pasiryžimo suteikti jam ką nors prašmatnaus: mudu tam ir atvažiavome prie upės, mano vaikystės upės, kad berniūkščiui būtų gera.

Tačiau ką nors padaryti iki galo man nepavyksta.

Aš ir čia svarstau tuos pačius dalykus, kaip ir namie, manydama, kad už mane su mano vaiku gali pabūti upė, medis ar vėjas.

Šviesų vėjuotą sekmadienį mudu einame žvejoti, ir man atrodo, kad jau vien dėl šito mano kaltė mažėja.

Juk vėjui pučiant į veidą iš tiesų esu kiek kitokia negu dulkėtuose kambariuose ir riebaluotoje virtuvėje.

Tarp plukių šnarant pernykščiams lapams, kvapuose ir spinduliuose mažiau tiriu savo ydas, mažiau savęs nemėgstu ir ne taip jau baisiai gailiuosi.

Argi to negalėtų užtekti?

Upelytis kliuksi į Nevėžį.

Mano vaikystės gamta buvo puošnesnė ir harmoningesnė. Arba vidaus akys.

Mėgaujuosi gaivalingu pavasariu ir negražumu labiau negu anais laikais tobulu gražumu. Tada man nebuvo gera, bet anais laikais pasitikėjau savimi ir maniau, kad viską galiu.

Mano vaikas, negražus ir labai panašus į buvusį vyrą, gyvas mudviejų ydų ir kliaudų rinkinys, – kūprina klampiu takeliu per dar nesužaliavusius brūzgynus.

Brūzgynai jam tėra tik stagarai, bet ne praėjęs laikas, ne viltys, ne iliuzijos, ne mano menkumo įrodymas.

Ką galėčiau pasakyti jam iš savo juokingos patirties?

Nebūk pasaulio centras. Nebūk pats svarbiausias, labiausiai už visus vertas meilės, švelnumo, užuojautos.

Nebūk amžinas vaikas, kurį privalo liūliuoti pasaulis.

Nebūk manimi.

Bet jis juk tikrai manęs nesupras ir nė žodžiu nepatikės. Kad patikėtų, DABAR privalau būti su juo, bet juk nesu, vėl nesu.

Staiga prisimenu savo motinos žvilgsnį, įremtą į niekur. Ir savo juokingas pastangas papasakoti jai apie dalykus, kurie man buvo svarbūs tada.

Dabar manau, kad, sėdėdama tuščiomis akimis, ji kūrė iliuzijas, skirtas lyg ir mums, bet iš tikrųjų – sau pačiai.

Mes tik trukdėme, nors mums būtų pakakę paprasčiausio draugiškumo.

Paskui ji atsiteisdavo neadekvačiais dalykais – dovanomis už neatidumą ir sentimentalių glamonių priepuoliais, kurių mes gėdijomės.

Gal mano vieniša motina, nuklydusi į tuštumą, mąstė, kad jau nebepavyks susikurti saugaus gyvenimo su plačiapečiu vyru, kuris užčiauptų atsikalbinėjančius vaikus, kartais pasakytų ką nors malonaus ir į lovą eitų teisėtai.

Aš svarstau, kada ji prarado viltį, kad dar galėtų būti kitaip, – kai ėmė rūkyti užsidariusi tualete ir įžūliai įrodinėti, kad niekada nerūko, nors niekas šito neklausė, – buvo taip nejauku.

Ar kai ėmė garsiai svaičioti, kokius neįperkamus daiktus pirks už savo apgailėtiną atlyginimą.

Spoksodama į niekur, mąstau, kad niekada nematydavau savo motinos meilužių.

Jai tikrai turėjo būti sunku ištaikyti momentą pasimylėti, kai namie zujo du atžarūs vaikai ir visur kaišiojo nosį jos tėvai – dorovingi niurgzliai.

Manau, jie seniokiškai mylėdavosi savo atskirame kambaryje, bet abejoju, ar pripažino šią teisę savo dvidešimčia metų jaunesnei dukteriai.

Man atrodo, kad mano motina, kankinama fizinio poreikio, turėjo neapkęsti mūsų (kartą virtuvėje ji dėl niekniekio paleido į mane kirvį, o paskui labai verkė, ir aš bjaurėdamasi ją raminau) ir savo geradarių tėvų, žinančių, kaip reikia gyventi.

Mano motina – ūmi, permaininga, galėjo bet kurią akimirką pasakyti ir padaryti bet ką, nes manė, kad turi teisę: gyvenimas skolingas, bet skolų nemoka, nors ji laukia.

Ji gailėjo savęs ir tūžo.

Manau, kad būčiau ją gerbusi, jeigu būtų sugebėjusi juoktis iš savo iliuzijų.

Bet aš irgi elgiuosi taip pat, tik mano iliuzijos kitokios, rafinuotesnės.

Aš irgi šitaip moku skolas savo vaikui – siūlau dienai nuvažiuoti prie upės, kad nusipirkčiau indulgenciją – rimtai traktuoti savęs gailėjimą.

Šitai pripažinti galiu. Bet tiktai tiek.

Kol svarstau, mano vaikas aiškina kvailiausius dalykus apie indėnus, aš vos pajėgiu išklausyti.

„Važiuojam namo", – pagaliau piktai sako, nes aš vis negirdžiu, ir mudviem neaišku, ko čia atsibeldėme.

„Amžinai tau viskas negerai", – gailiai pratariu ir manau, kad net ir su vaiku man nepavyko: visai nemoka džiaugtis.

Kaip gyvena mano sūnus, aš nežinau, nors laikas eina. Bet užtat žinau, kaip gyvenu aš.

Pasidygiu kiekvienąkart netikėtai išvydusi, kaip mano vaikas pasistiebęs siekia atsukti čiaupą, kad įsipiltų vandens akvarelei sudrėkinti.

O paskui neša tą vandenį užvertęs galvą į lubas, teliūskuoja ir laisto ant grindų.

Noriu smogti jam pamačiusi, kad neprašytas plauna indus šaltu vandeniu, ir tas vanduo teka jo neatraitytomis marškinių rankovėmis, šlapiomis iki alkūnių.

Užjaučiu, kad jam lemta gyventi su manimi, bet vis tiek slopinu jo iniciatyvą, dirgstu dėl natūralaus linksmumo, klausimų, triukšmo, prisilietimų.

Jaučiu nuobodulį, susierzinimą ir nuovargį.

Jeigu nerėkiu, vis tiek naikinu jo asmenybę nužvelgdama, krūpčiodama dėl kiekvieno trinktelėjimo, bijau bet kokių naujų jo idėjų.

Sumanymas karpyti apskritimus iš popieriaus kiekvienąkart užklumpa mane per staiga, ir nespėju jam pasiruošti: mano vaikas tirpdo mano gyvenimą kaip liepsna žvakę.

Į vaiko kambarį neinu pasijuokti arba šiaip pasėdėti: mano nervingi žingsniai visada reiškia, kad ateinu tikrinti, ar vietoje sąsiuvinis, sviedinys, plastilino žmogeliukas.

Jei plastilino žmogeliukas prilipęs ne prie diktantų sąsiuvinio, vadinasi, jis tupi ant pagalvės.

Arba vidury kambario drybso kelnės. Arba pusė obuolio. Arba suglamžyta pažymių knygelė.

O ant stalo – vielos riestinis, aplipęs statybų kalkėmis. Ir dar daugelis moteriai sunkiai įsivaizduojamų dalykų.

Jie akimirksniu iššemia mano menkas jėgas. Esu tokia ne-
laiminga juos matydama – iš bejėgiškumo galėčiau verkti.

Gaili mamą vaizduojanti persona, drebančiomis rankomis.

Lengviausia šaukti visa gerkle. Arba trinktelėti. Arba tarti
geležiniu balsu:

„At-si-nešk dir-žą".

„Mamyte, mamyte..." – skubiai veblena gudrus išsigan-
dęs mano vaikiūkštis, greitai glostydamas man skruostus
delniukais.

Jis glosto iš atsargumo ir baimės, nors ne visai žino, kuo
prasikalto.

Jis tik elgiasi apdairiai, nes kartais pliekiu jam per rankas
ar per nugarą staiga, jam dar nespėjus įvertinti situacijos.

Kai esu ypač dirgli, prisigėrusi daug kavos, bet svarbiau-
sia – nieko per dieną nenuveikusi.

Nenuveikusi savo požiūriu.

Juk reikia ką nors nubausti už tai, kad buvau nevėkšla,
tižena, tinginė.

Kartais jis išgąstingai šasteli į šalį, kai netikėtai įeinu į
kambarį pasiūlyti jam obuolio.

„Fu-u, kaip išsigandau..." – atsidūsta supratęs, kad pa-
vojus negresia.

Mažas ir naivus – net nesupranta, jog žandarui negali-
ma parodyti, kad jis žandaras. Žandarui gali būti skaudu.

„Piciuk (tai maloninė pravardė), ko tu bijai?"

„Kad nerėktum", – rimtai sako jis.

Aš ilgai galvoju.

Ar man svarbu sąsiuvinis, sviedinys ir plastilino žmoge-
liukas ant grindų? Kasdien numoju ranka į daug svarbes-
nius dalykus – seniai neturiu vilties jų sutvarkyti.

Staiga pamatau rašalo dėmę sąsiuvinyje, menišką dėmę
ką tik pradėto sąsiuvinio antrame puslapyje.

„Asile! – klykiu. – Jeigu būsi toks asilas, niekada nesimokysi dešimtukais!"

„Aš ir nenoriu mokytis dešimtukais", – purkščia jisai.

Ar girdite, jis purkščia – piktai ir grasiai! Jis visai nenori to, kas man labai svarbu.

Pauzė.

„Kodėl nenori mokytis dešimtukais?" – ramiai ir tyliai klausiu geležiniu balsu, nes teisingumo jausmas pergali putojantį pasiutimą.

Teisingumo jausmas liepia pripažinti, kad jis tikrai gali nenorėti.

„Nes tu visą laiką rėki", – graudžiai atsako jis, virpindamas lūpą.

Švelnutė pasmakrė pučiasi, o akys – siauros kaip puraus kačiuko.

„Gerai, Piciuk, – žadu. – Aš nerėksiu".

Tai tokia rožinė nuoširdžiausia pasaulyje melagystė, kai mylintysis sako mylimajam: aš išsivešiu tave į stebuklingą šalį.

Stebuklingos šalies nėra, o rytoj aš vėl būsiu kuo nors nepatenkinta, ir mano veide kaip mėnulis kabos amžinas rūpestis, rūgstantis kraujyje ir verčiantis ūdyti sūnų.

Nes jis arčiausiai, nes jis silpniausias, nes jis labiausiai trukdo...

O vakare, kai manau, kad jis jau seniai miega, ir ramiai darau savo svarbius darbus, sūnus šoka iš lovos ir tekinas kuria į mano kambarį.

„Neįsidėjau matematikos sąsiuvinio!.."

Išsigandęs mažas dryžuotas vaikas.

Ūžt siuto banga: einu ieškoti jo sąsiuvinio, kad būtų greičiau.

Bet sąsiuvinis portfelyje.

„Taigi įsidėjai, – sakau nerimaudama. Kodėl man neramu? – Kad man visada susidėtum knygas padaręs pamokas, o ne vakare", – pamokslauju, kad nuslopinčiau negerą jausmą.

Lengviau atsidusęs jis eina miegoti.

„Tu dryžuotas pižamuotas", – gerinuosi.

O po pusvalandžio jis dar sykį atlekia – paklausti, kaip rašyti žodį „Europa", nes mokytoja sakė, kad dvibalsio „eu" nėra.

„Po velnių! – kaukiu. – Ar tu vidurnaktį rašysi žodį „Europa"? – riaumoju. – Kvailys!" – staugiu.

„O jeigu rytoj lieps rašyti?.." – bailiai klausia jis.

Mano sūnus iš anksto bijo grėsmės, kuri jį gali užgriūti, nors toji grėsmė prilygsta ne vietoje padėto plastilino žmogiuko svarbai.

Jis pernelyg anksti patyrė baimę, kuri vakarais užgula žmones prieš sunkius ir nemalonius rytdienos darbus.

Tai – mano nuopelnas.

Ilgainiui galutinai įsitikinu, kad man vaikas nėra išsigelbėjimas nei iš vienišumo, nei iš nevisavertiškumo, nei iš nemokėjimo, o gal net ir nenorėjimo pritaikyti savęs šiam gyvenimui.

Tik viena iš žlungančių iliuzijų, kad, jį turėdama, patirsiu ramybę. Ne apatiją, o išmintingą ramybę.

Bet ramybės nėra.

Ir toliau – dar vienišesnė, dar silpnesnė (juk dabar jau reikia atsakyti ir už jį, o aš nemoku) iriuosi į priekį per savo nuojautas, liūdesius, pykčio pliūpsnius.

Noro viską užrašinėti ir ką nors nauja iš to sukonstruoti priepuolius (tokie stiprūs, galingi, bet, deja, per reti priepuoliai, iš kurių išspaudžiu kelias virpančias eilutes, o kitą rytą jos praranda vertę, ir aš vėl lieku be nieko).

O tas mano vaikiūkštis liūdnas kapanojasi šalia, vienas, mano visai nepadedamas ir nepalaikomas.

Iriasi į priekį per savo vaikiškus kaprizus, norus – šiandien jis trokšta kalbančios papūgėlės!

Koks didelis ir šventas noras! Galėčiau jam nupirkti kalbantį paukštį, bet turbūt nepirksiu, juk ne aš noriu, o jisai.

Kodėl paskui turėčiau vargti, jei ta papūgėlė sukeltų kokių nors nepatogumų?

O jei net ir nesukeltų.

Aš jo neatjaučiu, nesigilinu į tai, ko jam iš tikrųjų galėtų reikėti, ir beveik į viską, kas tuo metu nedirgina mano vaizduotės, moju ranka – niekai.

Aš darau ne tai, ko iš tikrųjų galėtų reikėti mano sūnui, o kartais, kai užsimanau būti kilniaširdė, kyšteliu jam tai, ko, manau, jis privalo norėti.

Verčiu lankyti baseiną, pati slapta bėgu iš darbo, kad galėčiau per visą miestą jį tenai nuboginti.

Kenčiu garuose, kol jis plaukioja, šluostau jam galvą, kad neperšaltų išėjęs į gatvę, ir nekreipiu jokio dėmesio į tai, kad jis tvirtina, jog baseinas – šlykščiausia vieta žemėje, o treneris – sadistas.

„Plaukiantys berniukai gražiai nauga", – tvirtinu jam.

Mudu abu dėl to jau smarkiai nusikamavome, bet kol kas viršus mano, nes aš – stipresnė.

Nes aš galiu nekreipti dėmesio į jo nepasitenkinimą (šiemet jam sueis dešimt, ir jis iš tiesų gražiai nauga).

Kartais viliuosi, kad jis man atleis terorą, – juk visi žmonės silpni, juk visi turi savo naivių iliuzijų.

Turėčiau būti išmintingesnė.

Privalėčiau pakilti iki jo pojūčių stiprumo, reakcijų natūralumo ir suprasti, kad vien dėl to, jog esu jau daug praradusi, negaliu su brangiais žmonėmis elgtis bet kaip.

Negi jau užmiršau vienišą ir liūdną mergytę, kuriai vaikystėje rodė netramdomas emocijas?

Tas, kuris stipresnis, šitą prabangą gali sau leisti.

Silpnasis užsisklendžia, brandina įtūžį, išmoksta gintis ir būti nepažeidžiamas, bet nieko nenutuokia nei apie atlaidumą, nei apie kilnumą.

Man atrodo, kad mane reikia bausti.

Iš tiesų aš jau seniai manau, kad esu nusikaltėlė.

Ir baudžiu save.

Nusprendžiu tai, ką būtina nuspręsti – nekankinti sūnaus.

„Ar norėtum gyventi pas savo tėvelį?"

„Aha", – sako jisai.

Jam net nešauna paklausti kodėl – jis ne toks kvailas, kad pats išprovokuotų papildomą įniršio priepuolį.

Arba kokį kitą absurdišką poelgį, kurio vis tiek neaiškinsiu ir nemotyvuosiu.

Mudu išsiskiriame patenkinti vienas kitu.

Atostogų į pasaulio pakraštį tarp akmenų ir šnarančių vandenų išvažiuoju viena.

Mano vaikas nekankina manęs nei protingais, nei kvailais klausimais.

Kitą dieną man kiek neramu: cimpinu per mišką į kaimo paštą paklausti, ar perėjo gatvę grįždamas iš baseino.

Paskui drožiu paklausti, ar jau gavo mano laišką.

Paskui kasdien lakstau į paštą per klerksintį telefoną pasiklausyti skambaus mielo balsiuko.

Mudu visai nesipykstam. Nė kiek nesinervinam.

Mudu šnekame niekus – du seni geri draugai – tarsi niekada nė nebūtume vienas kito kankinę.

„Parašiau pusę vaikiškos knygos", – sakau.

„Mažai", – sako jis.

„Ką tu – labai daug", – sakau aš.

„Hmm... – svarsto jisai. – Apie ką?"

„Apie trintukus, kurie ištrina vis ne tai, ką reikia".

„O!" – jam net labai patinka, jei kas nors daro ne tai, ką reikia daryti.

„Paskaityk!"

„Rytoj", – sakau.

Knygos apie trintukus net nepradėjau: rašau tai, ko negaliu jam paskaityti.

„Gerai", – taikiai sutinka jis.

Ilgiuosi savo mažo protingo vaiko, kuris nereikalauja neįmanomų dalykų – skaityti tai, kas neparašyta.

Kas apskritai nežinia, ar bus parašyta.

Tarp akmenų ir šnarančių vandenų man neatrodo, kad paaugęs jis manęs nesupras.

Kad manys, jog buvau pabaisa. Kad neapkęs mano judesių, intonacijų, egoizmo.

Tai kas, kad nesugebu aukotis. Tai kas, kad nesu tolerantiška. Juk visa labai lengvai paaiškinama: moteriai taip sunku gyventi.

Juk vis tiek labiausiai pasaulyje aš myliu jį – vienintelį savo juokingą sūniuką.

Ir aš – beveik tobula ir beveik kilni – tarp akmenų ir šnarančių vandenų beveik neabejoju, kad esu gera motina.

Juk tam nereikia jokių pastangų. Aš tiesiog tobulai sugebu daryti tai, kam nereikia jokių pastangų.

Grįžusi randu atsakymą į savo pareiškimą: gerbiamoji, kad motinystės teisės būtų atimtos, jūs privalote gerti, pardavinėti vaiko daiktus, neduoti jam valgyti ir neįsileisti į butą naktimis.

Išsamesnę informaciją...

Mano buvęs vyras atveža vaiką – esąs tiesiog nepakenčiamas, per jį visai neįmanoma susikaupti darbui. Aš privalanti daugiau dėmesio skirti jo auklėjimui.

Mudu gyvensime toliau.

Man – trisdešimt treji. Daugoka.

Aš – niekus paistanti žurnalistė. Vis šioks toks užsiėmimas gyvenime, už kurį mokami šiokie tokie pinigai.

Mano sūnui – trylika metų. Ačiū Dievui, mamos nebereikia.

Bastausi po visą pasaulį – nuo Rokiškio iki Londono.

Kartą Paryžiuje, skurdžiame viešbutėlyje netoli Eifelio, vėlų vienišą vakarą pajuntu, kad labiausiai pasaulyje man trūksta ne meilužio, o tėvo.

Naktiniai Paryžiaus žiburiai per langą neatrodytų tokie pavojingi, jei per pečius apkabinęs šalia stovėtų rūpestingas gimdytojas.

Spermos valdomas patinas, tegalvojantis, kaip mane įversti į lovą mažiausiomis sąnaudomis, šią nykaus vienišumo akimirką atrodo mažiau patrauklus.

O aš jau maniau, kad pasvcikau nuo vaikystės košmarų.

Graudus atradimas.

Atsidūstu ir kulniuoju į kokteilių vakarėlį žurnalistams.

Salės gale su taure rankoje stovi vyriškis tankiais antakiais.

Jis žiūri į mane, tarsi ketintų kiaurai persmeigti.

Drožiu artyn. Aš ne iš tų, kurios laukia.

„Ko jūs į mane spoksote?"

Bet jis nesupranta. Iš Šveicarijos, kalba vokiškai.

Dar geriau – niekas nesužinos.

Nesivaržydama tyrinėju jį it kokia valstietė, pirkdama turguje bulių veislei. Ir dantis apžiūriu – geri, šviečia iš tolo.

Tvirtas. Akys šiltos – neturėtų būti niekšelis. Vyresnis už mane apie dvidešimt metų. Gal net dvidešimt penkeriais. Puikiausiai galėtų būti tėvu.

„Ką man siūlote?"

Jis net atšlyja.

Bet po sekundės prapliumpa kvatoti iš visos širdies. Juokiasi kaip apsėstas. Susiima už stangraus pilvo, linkčioja į priekį ir atgal, gaudo orą ir negali liautis.

Man patinka žmonės, kurie šitaip nuoširdžiai juokiasi.

„Viską. Viską, ko nori, bet kokiomis sąlygomis".

Man tinka.

„Noriu rytoj važiuoti į Normandiją išnuomotu automobiliu. Jeigu įmanoma – šįvakar".

Toks tempas šveicarui per spartus (seniai pastebėjau, kad žmonės paprastai manęs nepasiveja).

Tačiau ankstų rytojaus rytą mes jau ūžiame greitkeliu į Prancūzijos vakarus.

Ne nuomotu automobiliu – jo mersedesu. Man nusispjaut – turėjimas niekada nedarė įspūdžio.

Įspūdį man daro, kai žmogus nebijo prarasti.

Viskas vyksta taip, kad geriau būti negali. Pakelės užeigoje jis maitina mane blyneliais su šokoladu, meiliai įkalbinėdamas įsidėti į burną dar vieną kąsnelį.

Siurbčioju pieno kokteilį. Išsipienuoju nosį.

Išsvajota vaikystės puota.

Peršlampu batus tyčia nesitraukdama nuo potvynio bangos San Mišelyje. Kokia graži pavakario saulė. Kaip glosto Šiaurės jūra.

Jis priverčia siauromis gatvelėmis užsiropšti į pačią kalvos viršūnę, ant kurios – kažkokia pilis ar bažnyčia. Kam man tie pavadinimai.

Užlipusi šnopuoju sunkiau negu jis. Kažin kaip čia yra su tuo dvidešimties metų skirtumu?

Nesuku sau galvos: šveicarai pripratę rytą vakarą linguoti aukštyn žemyn tarsi kalnų ožiai.

Iki vakaro sudrėkę batai visai išplera. Ant kulno – didelė skausminga pūslė.

„Tau reikėtų nupirkti kitus batelius. Vakare Djuvilyje eisime į kazino".

„Spjaut. Iškentės lošėjai ir šituos kaliošus".

Bet jis manęs neklauso – vedasi į parduotuvę, šokdina pardavėją prancūziškai. Ta jau mėlynai raudona, nes neša dvidešimtą porą, o aš vis neišsirenku.

Kai nusibosta, imu pigiausius – man nerūpi.

Netyčia užmetu akį į jo batus ir suprantu, kad pigiausi nedera. Gerai – pirksime brangiausius.

Pasišovei būti tėvu – rūpinkis dukrele.

Djuvilyje vedasi mane į mažutį bohemos restoranėlį, šnibždėdamas, kad jame – geriausi pasaulyje kepsniai.

Ryju kaip vilkas.

Padavėjai šokinėja aplink jį, tarsi būtų prezidentas. Kreipiasi vardu. Kaip gyvena žmona? Ar duktė jau grįžo iš Kanados? O kada...

Klausia pašnibždomis. Asilai, aš vis tiek prancūziškai nieko nesuprantu – galiu tik nujausti.

Kas toks jis galėtų būti?

Dar neturėjau laiko pasiklausti, nes visą dieną leidžiu tarp kutenančių dirgiklių, galinčių sukelti orgazmą be jokio vyro.

Kazino nieko nesuprantu – ką kur stumti ir kada pasiimti arba prarasti jo pinigus.

Prarandu dideles sumas. Jis džiūgauja kaip vaikas, užuot nerimavęs, kad jo piniginė tuštėja dėl mano entuziazmo.

Atrodo, aptikau retą egzempliorių.

„Tau gera su manimi?" – negarsiai klausia, netikėtai atsigręžęs nuo ruletės.

Ne tas žodis. Vėl jaučiuosi maža mergaitė, kuriai duoda dovanų vien už tai, kad ji yra pasaulyje.

Rimtai linkteliu galva.

„Atsimink: visada yra tik ši akimirka. Ši. Dabar ir čia. Ir daugiau – visai nieko".

Man truputį baisu ir graudu, todėl dar garsiau juokiuosi. Maivausi prieš kažkokius Lotynų Amerikos atstovus didelėmis nosimis.

Geriu labai brangų vyną.

Mankštinu prašmatniuosius batelius, užmiršusi pūslę ant kulno.

Spoksau į seną raukšlėtą ir brangią madam. Ant jos kaulėtų riešų – šviesą laužiančios masyvios apyrankės. Iš kokios ji šalies? Iš kokio gyvenimo?

Kai būsiu sena, aš irgi tokių turėsiu.

Visos mergaitės taip sako, kol dar jaučiasi dukterimis, kurioms viskas leista.

Šį vakarą man leista daug.

Ir dar niekas manęs nenuskriaudė.

Naktį vaikštome pajūriu. Šviesią birželio naktį renku kriaukles prie Šiaurės jūros. Kodėl Šiaurės? Ji tokia šilta.

Kriauklės tebeguli ant lentynos šeimos svetainėje, nors mano vyras vis primena, kad jas išmesčiau. Jam atrodo, kad užgesusios jūros gyventojos skleidžia negerą energiją.

Man jos daug metų spinduliuoja šilumą.

Vidurnaktį grįžtame į viešbutį. Su kiekvienu žingsniu mano nosis kniumba žemyn.

Kodėl nuolat prisišaukiu kvailiausius nuotykius?

Bjauru. Bjauriau nebūna.

Vartalioju fojė reklaminius lankstukus vilkindama laiką. Nekreipiu į šveicarą dėmesio – man nerūpi, ką jis prancūziškai marmaliuoja patarnautojui.

Man niekas nerūpi. Pavargau. Noriu miego.

„Tu miegosi trečiame aukšte, o aš – antrame".

Nuoširdžiai šypsodamasis duoda atskirą mano atskiro kambario raktą. Tuojau pulsiu jam ant kaklo.

Niekada gyvenime dar šitaip nešvytėjau.

Šokinėju laiptais viena koja. Aukštyn, o ne žemyn. Čiuožiu turėklu, sąmoningai jį užkliudau ir stumdausi.

Dieve, kokią dovaną gavau vidurnaktį kažkokiame sumautame Prancūzijos Djuvilyje, į kurį lošti ruletės renkasi niekam nereikalingi pasaulio turčiai smirdžiai.

Pogarsiai dainuoju kvailą dainelę, nors klausos niekada neturėjau. Lia lia-lia.

Spjaut. Kam, be šveicaro, rūpiu ant šitų laiptų, išklotų storu mėlynu kilimu, į kurį klimpsta kojos?

Lia lia-lia.

Tankieji antakiai stovi laiptų aikštelėje vienu aukštu žemiau. Gėrisi. Šypsosi. Moja ranka ir nueina.

Mano lova – tokia prašmatni. Patalynė žydros spalvos, o užuolaidų kutai – auksiniai.

Neriu ant pilvo į žydrą pūkų debesį. Verčiuos ant nugaros. Aukštai iškėlusi kojas, braižau kulnais auksinės spalvos sieną.

Aš – laiminga moteris.

Įdomu, kokia patalynė šveicaro kambaryje? O sienų spalva?

Ir apskritai: kodėl jis neužsakė dviviečio kambario? Ar jam atrodau negraži?

Sau graži neatrodau. Trisdešimt trejų metų moterys – labai senos.

Bet vis tiek. Galėjo nors iš mandagumo apsimesti.

Aš galvoju apie jo eiseną. Labai energingai vaikščioja.

Ir tos linksmos šiltos akys. Ko jis ten klausė manęs atsigręžęs nuo ruletės? Ar man gera?

Tai kodėl aš čia vartausi plačioje lovoje be jo?

Niekada ilgai nesvarstau, jei man reikia.

Išsliuogiu į šilkinius marškinius. Ne per gražiausi, bet kitų neturiu. Pravers. Susisiaučiu storą viešbučio chalatą ir einu ieškoti šveicaro.

Koridoriuje atsipeikėju – taigi nepasakė savo kambario numerio. Net pavardės nežinau. Šventasis Dieve – ir vardo.

Tikėkimės, kad šią naktį daugiau šveicarų šitame prabangiame viešbutyje nenakvoja.

Nusileidusi vienu aukštu žemyn, be ceremonijų trankau kiekvieno kambario duris.

Užsimiegoję sotūs snukiai. Kai kurių prikelti nepajėgiu – matyt, persirijo restorane sunkių patiekalų.

Šveicaro kambarys – priešpaskutinis.

Pastėręs atidaro duris ir žiūri išgąstingu žvilgsniu.

Čia tik aš. Ko tu bijai?

Jis net neišlindo iš savo vakarinio kostiumo, kuriuo vilkėjo kazino. Tai ką veikė dvi valandas?

„Ką tu veikei?“

„Stovėjau prie lango ir žiūrėjau į gatvę“.

„Galvojai apie mane?“

„Taip“.

Tikrai kvaila. Eitum praustis – ko gi lauki?

Buvau. Vyliausi, kad ateisi. Nenorėjau pasitikti tavęs su pižama.

Jis to nesako – ant kaktos parašyta.

Dieve Dieve Dieve.

Šitaip dar nebuvo niekada.

Gelmė. Karštis. Bangos. Ašaros. Šlapi bučiniai. Dar dar dar – visą amžinybę. Slystančios paklodės. Kokios jos, po velnių, spalvos? O užuolaidos? Nieko neatsimenu.

Kad jis dvidešimt ar dvidešimt penkeriais vyresnis, pastebiu tik išgirdusi per greitą jo alsavimą, kai ilsisi po visko. Kokia šlapia nugara.

Gerai, aš irgi apsimesiu, kad labai pavargau.

Kai tik bandau įbesti nosį į tą įtartinai drėgną nugarą, jis atsigręžia ir čiumpa iš naujo. Išdulkina taip, kad nuo Djuvilio paminėjimo man užima kvapą net po daugelio metų.

Šito nepakartosi.

Geriau net nerizikuoti, nes, pabandžius dar kartą, netyčia gali aptikti, kad po ana tobula povyza slepiasi pats banaliausias sotus biurgeris.

Kai telefonu kas nors prabyla vokiškai, metu ragelį. Taip skubiai, kaip tik įstengiu.

Aš vėl netekau tėvo. Matyt, jau visam laikui.

Manykime, kad užaugau.

Esu nereikšmingai viena margoje draugų ir pusdraugių minioje.

Su kiekvienu moku paplepėti apie jo gyvenimą. Makaronų kabinimo ant ausų specialistė.

Nuoširdžiu veidu galiu pasakyti bet ką.

Aš tikiu. Jie tiki.

Primeluoju krūvas baisiausių nesąmonių, kad tik žmogus įsileistų mane į savo širdį.

Net pati nustoju skirti, kur baigiasi darbas ir prasideda mano melaginga esmė.

Lenai Lolašvili, – neprašyta įsibrovusi į jos butą, – sakau, kad, dar tebestovėdama už durų, jau pajutau karštą jos rankų šilumą.

Nieko nejaučiu net tada, kai ji rankas uždeda man ant šonų.

Na, ir kas.

Užtat parašau kilometrinį interviu, kuriame ji paisto visokius niekus ir patiki man slaptas nuotraukas su Brazausku ir Paksu.

Man jos gaila, bet kodėl turėčiau sielotis dėl kiekvieno mulkio? Tegul patys savimi rūpinasi.

Uspaskicho paliktai pirmajai žmonai tvirtinu, kad Baltarusijos skylė Žlobinas, kuriame ji dabar be cento gyvena apleistame bute, – žaliausias pasaulio miestas.

Man net nešlykštu nuo savo melo.

Turiu juk išgauti iš jos, kad kruvina meile tebemyli milijonierių, dovanojantį cerkves Archangelskui ir špygą atkišusį savo vaikų motinai.

Jos lūpos virpa, kai taria šventą Viktoro vardą.

Rankos nepataiko įpilti į puodelį kavos.

Išgersiu šitą prasčiausios rūšies pridegintą kavą vardan savo sugedimo.

Kvaile tu, vyk mane greičiau iš savo blokinio butelio susmirdusiame Žlobine, kol nenufotografavau tavo aptrupėjusių sienų ir nuskelto klozeto.

Ir neapjuokiau ant visos Lietuvos, iš kur tave Viktorėlis išgrūdo apgaule, kad netrukdytum jo vyriškiems, politiniams ir nuosavo klyno planams.

Ji nuoširdi, todėl neveja.

Ji tiki, kad aš, moteris, suprantu jos skausmą.

Aš ne moteris. Aš – žurnalistė.

Medžioju Furmanavičiaus meilužes ir, kikendama su bendradarbiais, tauškinu klavišais komiškiausias detales iš naivių jų pasakojimų.

Viena ėjo pas būrėją mesti kortų, ar nepatikimas mylimasis tikrai taps ministru.

Susimyžti gali.

Ar man tų idiočių gaila?

Juo labiau negaila Furmanavičiaus.

Tos moterys, laikraštyje išvydusios tekstą, skambina man.

Aš gabi – išsivynioju.

Negi turėčiau rūpintis, ką vakare jaučia liežuvio nelaikančios kvailės.

Dievas seniai turėjo mane nubausti.

Labai keista, kad jis taip ilgai laukia. Net suteikia man, beširdei, naujų dovanų ir pagundų.

Didžiausia dovana – mano vyras, prieš amžinybę surastas ežere tarp baidarių. Surandu ne aš – mano sūnus iš pirmosios santuokos.

Kaip tikras betėvis vargšiukas jis limpa prie kiekvieno vyro, kuris su juo gali paspardyti kamuolį.

Taip ir gyvename: vasaromis aš plūduriuoju baidarėse ir valtyse Ignalinos ežeruose. Užsimerkusi prieš saulę ir primetusi savo paauglį tam, kuris sutinka.

Bet tose baidarėse mano būsimasis vyras – su labai gražia mergina. Juodu mylisi gretimoje palapinėje taip, kad nepatogu visai kompanijai.

Garsai, atodūsiai, čekšnojimas liežuviu, kol vieną savaitgalį palapinė nuo jų azarto nuvirsta šalia laužo. Vynelio prisilupusi draugija leipsta iš juoko.

Mano būsimajam vyrui gėda.

Jai – nė kiek. Ji per graži – tobulos figūros ir undinės plaukų, tingių judesių ir neatsakingo elgesio.

Mano vyro meilės vardas Rusnė. Dailininkė. Kartais nueinu į jos parodas – ne tokios ir blogos.

Jis ją myli. Visada mylės, niekada man apie tai neprasitardamas, bet kažkodėl nueis su manimi.

Nes aš nieko nedarau. Nesiekiu. Tik žiūriu.

Mano akyse atsispindi, kad gyventi vienai – moteriai itin bloga.

Jau spėjau pamiršti, kad gyventi su nemylimu taip nuobodu, jog imi laukti kokios nelaimės, kad nors kas išjudintų.

Parėjusi iš redakcijos, vieną vakarą randu savo namuose svetimą televizorių.

„Kieno šitas daiktas?" – klausiu sūnaus.

„Kornelijus atsinešė. Sakė, kad dabar čia gyvens".

Mat kaip.

Mes gyvename kartu jau penkiolika metų. Kartu palaidojome vaiką. Kartu kraustėmės iš vienų namų į kitus kaip čigonai, ignoruodami savo nelaimes.

Mūsų nesieja niekas – nei aistra, nei pinigų kaupimas. Apie aistrą niekada nebuvo nė kalbos, o pinigus abu mokame tik švaistyti.

Nėra ką švaistyti – nėra ir problemos.

Gūdžią nevilties naktį dviese geriame vyną miegamajame užuot mylėjęsi. Už lango traška speigas.

„Niekada nemaniau, kad kam nors galėčiau būti absoliučiai ištikimas. Judvi su Rugile man esate viskas".

Rugilė – mudviejų duktė.

Viešpatie, buvau tikra, kad jis dulkinasi komandiruotėse net su juodaodėmis. Aš juk nepamiršau toje palapinėje keliamo triukšmo.

Nežinau, kodėl mes kartu. Nenutuokiu.

Aš neįgali suteikti jam palaimos, tarsi būčiau paralyžiuota. Smegenys – sau, kūnas sau, o siela, jeigu ją kada nors apskritai turėjau, klajoja ten, kur pati užsigeidžia.

Neatsakinga, nepavaldi ir visai neauklėta kaip apleistas gatvės vaikas.

Bet mūsų namuose netuščia. Kai išvažiuoju į savo londonus, paryžius, rokiškius ir skudutiškį, visada skambinu.

Geriausiai pasaulyje mudu sutariame telefonu. Yra ir tokių laimingų porų, kur lėkštės niekada nedūžta.

Telefonu į grindis jų netrenksi.

Kartą grįžusi atidarau seną lagaminą ir randu dugne paslėptą vienintelę jo didžiosios meilės nuotrauką.

Aptinku netyčia. Sudeginu – sąmoningai.

Atleisk man už tai. Atleiskmanužtai. Atleiskmanužtai. Esu beširdė. Vaikystėje neturėjau tėvo.

Taip ilgesingai, kaip su tavimi, su jokiu žmogumi pasaulyje naktį nesu gėrusi vyno. Ilgesys to, kas neįmanoma.

Kitos poros ir to neturi.

Mano vyras ėmė uždirbti pinigų. Staigmena po daugelio metų.

Man tikrai nusibodo jaustis nejaukiai, kad jam taip ilgai nesiseka. Bet sėkmės priežastis – kita moteris.

Smulkutė, ugniniais plaukais, įžūli kaip traktorius ir cinikė.

Juristė, kuriai nieko nereiškia apgauti verkiančią moterį su keturiais vaikais.

Ji man labai patinka.

Krištolinio tyrumo mano vyras, grįžęs namo vėlią naktį, prižadina mane ir sako, kad pinigai eina. Bet Rasos cinizmo jis nebegalįs atlaikyti.

Ji apgauna visus, spjauna į visus ir viską.

Aha. Na, taip. Žinoma.

Tik kodėl jis tai aiškina man, neišmananančiai nė vieno juridinio reikalo? Gal tikisi, kad apsaugosiu jį nuo neramumo, kai dar nežinai, kas gresia, o kiti jau žino?

Viliasi, jog piktai leptelėsiu, kad ji šlykšti merga, neverta jo puspadžio?

Bet šita ugninė mažytė daro man įspūdį.

Rasa moka tvarkyti juridinius reikalus. Manau, moka tvarkyti ne tik juos.

Su verslo reikalais juodu prapuolę nuo šeštos ryto iki dvyliktos nakties.

Man įdomu, kada mano vyras su ja atsiguls. Rasai – trisdešimt treji. Jos vyras – nevykėlis.

Trise einame į rusų restoraną – mano sutuoktinis, Rasa ir aš. Ji taip ryškiai apsirengusi, kad šalia atrodau kaip elgeta.

Mano vyras norėtų pašokti. Aš niekada nešoku – nejaučiu ritmo.

„Pašok su juo", – įkalbinėju Rasą.

Ji tiriamai žiūri į mane. Dvi tigrės katyčių kailyje. Testuoja mano ketinimus, tik nenutuokia, kad aš – virtuvės lygmens filosofė.

Visiems žmonėms suteikiu laisvę.

Rusiška muzika trenkia taip baisiai, kad abi suglumusios žiūrime viena į kitą – kur šitas neišmanėlis mudvi atvedė? Proletariškas skonis. Puikiai viena kitą suprantame.

Bet abi jau esame pajutusios: mano vyras turi kitų neprilygstamų savybių. Apie vienas žinau aš, apie kitas – jinai.

Kai juodu išeina šokti, iš susižavėjimo netenku žado.

Jos ritmą jaučiantis kūnas kapoja tvankią restorano erdvę tarsi žaislinis kareivėlis, o paskui sustingsta ant mano vyro rankos ir sliuogia tolyn nuo jo stuomens prieš visus fizikos dėsnius.

Įstrižai erdvės.

Tuoj lūš ore pakibęs figūros lankas. Ne, išsilaikė.

Apgirtusi salė ploja. Ovacijos.

Moju jiems nuo stalelio. Man patinka tviskančios moterys. Visada įsielektrinu, kai vyrai arba moterys ką nors daro gerai ir aistringai.

Tingiu domėtis, kada ir kur tai nutiks.

Kam man kitų žmonių gyvenimas?

Po vakarėlio mudu su vyru įsodiname ją į taksi, o patys ramiai einame namo, susikabinę už rankų. Mūsų šeima niekada nieko nedramatizuoja.

Aš jaučiuosi laiminga.

Kitą dieną vyras prasitaria, jog Rasa mananti, kad aš greičiausiai sergu. Gal man nepakenktų nueiti pas psichiatrą. Jai nepatikęs mano nervingas charakteris.

Vaikuti, nuo depresijos galiu pagydyti ne vieną psichiatrą ir įpūsti jam gyvenimo džiaugsmo.

Taip ir pasakau savo vyrui. Jisai sutinka.

Mudu kvatojame. Pernelyg seniai vienas kitą pažįstame. Esame patikimi partneriai.

Vieną dieną jis pareina paniurręs.

Rasa neatvažiavo pasirašyti sandėrio ir viską sušiko.

„O kur ji yra?"

„Neatlaikė įtampos. Nuvažiavo persipilti kraujo".

Rasa iš tų, kurios moderniausias naujoves perka už didelius pinigus.

Už paslaugas dėl savo gerovės moka labai brangiai ir niekada nesidera. Bus nutarusi pasigražinti veido spalvą.

„Ką ji dabar sugalvojo?"

„Nieko. Treti metai serga leukemija".

Ugninė mergaitė sveria keturiasdešimt kilogramų. Be reikalo pavydėjau jai trapios figūros.

Plukdydama gyslose vėžį, aš irgi šokčiau restorane kaip pamišusi ir rengčiausi tik įžūliai.

Nesiseka mano vyrui su moterimis.

„Ketinu tavo sąskaita išgerti raudonojo vyno taurę.

Paskambink, kai apsispręsi dėl datos. Apsimesti, kad negavai šitos žinutės, – siaubingai nemandagu".

Čia aš siunčiu SMS jaunam chirurgui, kurį ištyrinėti turėjau laiko onkologijos ligoninėje.

Kol jis mane pjaustė, badė, kišo į aną vietą šaltus ginekologinius šaukštus ir išrašinėjo sojos tabletes nuo staiga prasidėsiančio klimakso.

Tik išeisiu iš ligoninės – ir klimaksinė boba.

Pasižiūrėjęs į gailią mano fizionomiją dar liepė nusipirkti *Aqua* gelio makščiai, nes mylėjimuisi skirta vieta išsausės greičiau, nei būtų turėjusios ateiti kitos menstruacijos.

Jos neateis – higieninius įklotus nuo šiol pirksiu tik trylikametei dukteriai.

Jaučiuosi labai vieniša.

Gydytojas turėtų geriau už kitus žmones suprasti, ką jaučia iškastruota moteris. Juk pats tai padarė.

Bet apsimesti, kad negavo jokios žinutės, galima.

Aš tai puikiai žinau.

Man rūpi, kaip pasielgs tas vaikas, nuo kurio – o, Dieve, koks absurdas! – priklauso, ar aš patikėsiu, jog man likimas nuo šiol dovanos viską, ko panorėsiu.

Jeigu davė man vėžį, turėtų mainais duoti ką nors, už ko galėčiau užsikabinti lėtai mirdama.

Jeigu jis nepakvies manęs tai taurei, pasveikti bus gerokai sunkiau. Nenoriu būti viena su savo liga.

Ligoninėje dar šiaip taip laikiausi. Labai skaudėjo. Pojūčiai buvo aštrūs kaip peilis – reikėjo kaip nors ištverti šią akimirką.

Kai gelia dabar, niekas nesvarsto, kas jo laukia po savaitės.

Tačiau šiandien esu sanatorijoje viena akis į akį su savo neaiškia vėžininkės ateitimi.

Pagaliau turiu tikrą bėdą. Kažin kaip dabar bus su laimės–nelaimės–nepasitenkinimo būsenomis?

Ir jų analize.

Jaunas chirurgas neskambina. Nesiunčia žinučių. Nerašo elektroninių laiškų.

Kodėl turėtų?

Kuriu versijas, kuo motyvuodamas jis taip elgiasi.

Pirmoji: mano žinutes užtiko jo žmona ir pamanė, kad vyras susirašinėja su dvidešimtmete. Nereali versija.

Antroji: aš jį sudominau savo pamišėlišku elgesiu. Atvirai – įvairiausiais būdais – teigiu, kad yra puikus. (Blogiausia, kad tai tiesa. Ne jam – man blogiausia). Moku save guosti įtikimai: joks vyriškis neįstengs atsispirti savo tuštybei. Aš juo žaviuosi, todėl ilgainiui pasiduos. Labai man palanki versija.

Realistinė: jis susivemtų supratęs, kad jo geidžiu.

Akimirksniu prisimintų išpjaustytus ligos išklaipytus mano organus. Susisukusius šlapimtakius. Taukinę, prilipusią prie jaunystėje išoperuoto apendikso rando.

Kraujuojančias kiaušides, kurias pats išrėžė. Tuštumą, į kurią nusmegtų vyro organas, jei kas nors dar sumanytų su manimi mylėtis.

Aš irgi noriu vemti.

Nueinu į tualetą, užsikniaubiu ant klozeto ir ilgai rymau. Nelengvėja.

Belieka apsispręsti, kad manęs vis tiek laukia ilgas puikus gyvenimas. Nepriklausomai nuo patrauklių vaikiščių išnirimo mano horizonte. Štai taip.

Apsisprendžiu.

Viena karstausi po šlaitus miškuose aplink sanatoriją pilama prakaito. Kai po kojomis pasitaiko kelmas ar kokia atsikišusi šaka, vos ją peržengiu, nes giliai viduriuose skauda.

Ką dar ten galėtų skaudėti, jei viską išpjovė?

Per mankštą bandau nestenėdama įveikti nors kokį pilvo preso pratimėlį.

Treniruoju realybės jausmą: tris kartus per dieną atsistoju nuoga prieš veidrodį ir atidžiai žiūriu į asimetrišką, sudygsniuotą ir atsikišusį savo pilvą.

Esu tokia negraži, kad galėčiau pozuoti šlykščiausiems Salvadoro Dali paveikslams.

Jaunuolis chirurgas, išleisdamas iš ligoninės, pažadėjo, kad artimiausiu metu ims tinti kojos, o oda nustos spindėti.

Šunims išmestos kiaušidės negali pagaminti man hormonų.

Baigdamas patyrusio mediko tonu informavo, kad mylėtis galėsiu po šešių savaičių, nes, pradėjus anksčiau, gali sueižėti ir išsiskirti gimdos kaklelio likučiai.

Geriau būtų spjovęs į veidą.

Gaunu paguodos SMS iš redakcijos.

Nuo kojų nuvaryta kolegė praneša, kad gydytoja privertė ją pasiimti biuletenį ir gerti antibiotikus.

Rašau atsakymą: „Pagaliau ir tau, brangioji, atėjo atokvėpio valandėlė".

Šie žodžiai neturi jokios ironijos. Darbiniai redakcijų kuinai ilsisi tik tada, kai serga.

Mudvi pasimėgaudamos susirašinėjame. Mudviem labai pavyko: vienai vėžys, kitai – gripas.

Kol nesirgome, redakcijoje beveik nepersimesdavome žodžiu – neturėjome kada.

Ji pasigiria, kad guli lovoje ir visą dieną klausosi Malerio, kurį gimimo dieną jai padovanojo draugės vyras.

Prabanga.

Bet pražiopsojau gimimo dieną. Jei nesirgčiau, tokia mintis man net neateitų į galvą. Kas turi laiko žaisti gimimo dienas, kai dirba?

Teiraujuosi, ar ne jubiliejus, ir kodėl Malerio kūrinius dovanoja svetimas vyras.

„Prieš dvidešimt metų draugės sutuoktinis buvo sutikęs mane Filharmonijoje. Tada dar buvau netekėjusi. Irgi klausiausi Malerio. Štai kokios sąsajos".

Bandau savo kolegę įsivaizduoti prieš dvidešimt metų. Kiek jai dabar – keturiasdešimt? Keturiasdešimt penkeri?

Gaunu iš jos dar vieną įkvepiančią žinutę:

„Apie jubiliejus esu skaičiusi visokio briedo. Kuo vyresnės autorės, tuo jų prisiminimai apie klimaksą blankesni, tarsi jo ir nepatyrė.

Kai pasveiksiu, nueisiu pasitikrinti, ar dar tebesu moteris.

Ar rytais atsibundi dvigulėje lovoje?"

Leipstu juokais.

Aš myliu savo draugę. Jai – keturiasdešimt ketveri.

Sanatorijos lova – karališkai plati. Bet su manimi joje visai nebūtų ką veikti.

Visą gyvenimą maniau, kad meilužį turėsiu net sulaukusi aštuoniasdešimties. Gerai, kad niekas to nežino.

Mano chirurgas bjaurėdamasis nusigręžtų, jei kada nors, impulso pagauta, leisčiau sau prie jo prisiglausti.

Jaučiu pareigą pranešti draugei, kad sekmadienį sanatorijoje mane aplankė šeima – duktė ir vyras.

„Taip nuo jų pavargau, kad maniau – mirsiu. Jie iš paskutiniųjų stengėsi man įtikti. Baisiausia, jog trokštu būti viena."

Gaunu atsakymą, už kurį dar labiau ją pamilstu:

„Brangioji, be vienatvės ir aš neįsivaizduoju savo gyvenimo. Na, dar šunį pakenčiu. Nesikrimsk – normali būsena. Džiaukis."

Ji turi du vaikus ir vyrą rašytoją.

Džiaugiuosi. Šita liga pažėrė man krūvą dovanų – artimų sielų.

Tačiau žinučių ateina ir iš tolimesnių sielų.

Rašo kita kolegė, kuriai vieną nemigo naktį padėkojau už labai gražų gėlėtą maišelį. Jame atnešė į ligoninę apelsinų.

Negaliu atitraukti akių nuo to margo maišelio tarsi būtų gyvas. Daug gyvesnis už mano išdorotą kūną.

Vidurnaktį spoksau į raudonas kičines gėles susijaudinusi iki ašarų ir nesu visai tikra, ar kartu su gimda man neišoperavo ir smegenų. Taip jai ir parašau.

„Tavo naktinė raudonai gėlėta žinutė – su smegenimis! Šią savaitę redakcijoje buvo trys žvaigždės: naujas popiežius, krepšinio komanda ir tu!

Ar tokį aistringą straipsnį parašei, nes nori to daktaro? Pagalvojau: jei nėra 100 metų skirtumo – varyk!"

Žmonių kalba tai reiškia: Vatikanas išsirinko Racingerį, „Lietuvos ryto" krepšinio komanda Belgijoje iškovojo

ULEB taurę, o aš laikraštyje be skrupulų aprašiau savo onkologinius nuotykius.

Su visomis natūralistinėmis detalėmis – ką, kaip ir kodėl išpjovė. Kad niekas nelotų už nugaros, kai atnešiu biuletenį iš Onkologijos instituto.

Pokštaudama kolegė pataikė į dešimtuką: aš noriu to daktaro. Jis jaunesnis už mane lygiai dvidešimt metų.

Siunčiu tokį ciniška atsakymą, kokį tik beįstengiu sukurpti:

„Jisai – šiaip liuks. Bet nemanau, kad norėčiau su juo dulkintis. Lovoje iš vyrų man reikia temperamento, o jis pernelyg jau gerutis."

Meluoju išsijuosusi. Nuo šiol man nereikės jokio temperamento.

Patirčiau ekstazę, jei savo karščiuojantį skruostą galėčiau atsargiai priglausti prie jo vėsios elastingos odos.

Kur nors prie šono, nugaros ar kokios kitos visai neseksualios vietos.

Tikriausiai jo oda kvepia. Pavyzdžiui, švara. Man visada patiko idealiai išsiprausę vyrai.

Atsakymas ateina akimirksniu: „Kartais po tais geručiais slepiasi TO-O-O-K-I-E laukiniai meilužiai!"

Žurnalistės – seksualios moterys.

Protingiau būtų pratintis atprasti nuo šitos nedovanotinos ydos.

Jo žinutė ateina tada, kai visai jos nelaukiu.

„Nerašau, nes neturiu laiko. Aš žvaigždė – superstar. Ačiū."

Tai apie mano straipsnį laikraštyje ir šalia teksto įdėtą jo nuotrauką. Puikiai mediko pareigą atlikusio gydytojo. Visagalė reklama veikia net tada, kai ja siekiama visai kitų tikslų.

Šeštadienis. Kūdikis daktaras paprasčiausiai išsimiegojo. Šiandien jam nereikia operuoti. Ir gal net jo maži vaikai neknerzė naktį.

Net nežinau, ar pajėgiu džiaugtis. Laukimo savaitė buvo per ilga. Nusodinau save pakankamai, kad susivokčiau, jog išsikapstysiu ir viena.

Bet žinutę skaitau jau penkioliktą kartą. Iš apibraižyto telefono į mane srūva gyvybė.

„Buvau tikra, kad užknisau tave klausimais. Ačiū, kad atsiliepei. Ypač komiška turėjo būti informacija apie išskyras iš makšties, kai gėrei pirtyje."

Išsigandusi, kad mane sanatorijoje siunčia tikrintis pas kaimo ginekologę, vėlų vakarą išsiunčiau jam žinutę klausdama, ar leistis apžiūrinėjamai.

Pykino nuo minties, kad kažkas svetimas vėl brausis į mano išdraskytus skaudamus vidurius.

Todėl raštu išaiškinau savo chirurgui, kad jokių išskyrų iš anos vietos nėra, ir laukiau patvirtinimo, jog atsiduoti vietos ginekologei neprivalau.

Atėjo atsakymas, kad jis liuobia pirtyje. Iškalbingas atsakymas. Taip man ir reikia.

„Nieko – išskyrų juk nebuvo."

Net pašoku iš džiaugsmo. Pjūvį skaudžiai nudiegia nuo staigaus judesio.

Jo žinutėje – ironija, išdidi patino nepriklausomybė ir mielas geraširdiškumas: kvaišele, jeigu išskyros neteka, nėra ko sukti galvos chirurgui.

Liurbių man nereikia. Jeigu, sulaukusi pusės šimto metų, ketinu apsijuokti, objektas turi būti vertas, kad dėl jo stengčiausi.

Bet paskui – vėl savaitės tyla.

Neturiu jokių – net išgalvotų – medicininių klausimų, kad vėl galėčiau parašyti savo gydytojui.

Reikia ieškotis kitų išlikimo būdų.

„Stiliaus" žurnale pasiskaitau, kaip iš drebutienos vėl nusilipdyti dvidešimtmetės kūną. Tai vis geriau, nei studijuoti statistiką, kiek moterų Lietuvoje nusibaigia nuo gimdos vėžio.

Išrengęs beveik nuogai ir kritiškai apžiūrėjęs, pilvotas masažuotojas sako, kad mano popieriai blogi.

Pilvui nepadėtų trys plastinės operacijos, o pašalinti celiulitą nuo šlaunų reikėtų masažuotojų brigados. Ir prakaituoti su manim jai tektų pusę metų.

Kiaulė. Bet dantingas.

Jeigu nutuoktų, kad man turėtų padėti net užsiropšti ant masažinio stalo, gal patylėtų. Keliant į viršų drebančią koją, nepakenčiamai tempia siūles viduriuose.

Apie savo vėžį tyliu. Dar užsimaus pirštines, kad neužsikrėstų.

„Nelok, o dirbk – aš sumokėsiu".

Mažos storulio akutės sublizga: prabilau jo kalba. Mano neproporcinga figūra jo akyse akimirksniu pagerėja.

Kai suleidžia apželusius pirštus į mano tešlą, vos neverkiu. Skausmas – nepakenčiamas. Čia tau ne operuotis su narkoze.

„Per atostogas važinėju uždarbiauti į Lenkiją. Maigau Varšuvos poniutes už didelį mokestį.

Atsineša masažinio kremo, kuris daro stebuklus. Visos išdribėlės vandos po poros savaičių nuo mano stalo gali eiti ant podiumo", – postringauja.

„Atvežk ir man to kremo".

„Tau nepadės. Vos pridedu pirštą – iškart mėlynė", – aiškina rimtai.

Tos mėlynės jau seniai mane gąsdina. Patyliukais manau, kad tai – dar vienas mano vėžio įrodymas.

„O tu pasistenk. Žinai, kokį pajusi kaifą. Atėjo šmėkla – išėjo gražuolė".

Jis atidžiau sužiūra į mano fizionomiją. Net neabejoju: jau mano, kad kabinu.

Dar nesu sutikusi nė vieno, kuris nemanytų, kad jo geisti – verta. Nes jie – nepasiekiamos vertybės.

Pilvotas eržile, į tokius nežiūrėčiau net dvėsdama.

Iš tuščio smalsumo patyrinėjusi įsitikinu, kad masažuotojas – bendraamžis. Maždaug penkiasdešimt.

Paakiuose – papurtę papurtusio gyvenimo maišeliai.

Man nereikia pašlemėkų.

Trokštu nekalto stebuklo, kurį galėčiau įsimylėti kaip penkiolikmetė.

Bet stebuklas neatsiliepia. Padėvėtos stebuklės įspūdžio jam nedaro.

Imuosi keisčiausių žygių. Man atrodo, kad elgiuosi natūraliai.

Jei būčiau sąžininga, nuo savęs neslėpčiau, kad kuriu planus, kaip man dar sykį patekti pas savo santūrų gydytoją.

Su lankyti atvažiavusiais draugais keliauju prie užpelkėjusio ežero. Vakare kūrensime laužą.

Kas neserga vėžiu ir nebijo karščio, kaitinsis sukiužusioje pirtelėje, pastatytoje virš vandens ant medinių kuolų.

Sutemus girdžiu ant stogo gailiai piepsintį paukščiuką. Jis primena mane pačią.

„Kvaiša, nelipk. Tikrai įlėksi į vandenį", – pataria kažkas iš kompanijos.

Netyčia pakiša išeitį.

Aš ropščiuosi aukštyn ir atkakliai šliaužiu supuvusiu stogu. Stoge stogeli, būk geras, neatlaikyk.

Tą pačią akimirką žiebiu į smirdintį dumblą su stogpalaikio liekanomis. Įstringu šaltoje makalynėje iki bambos – be tamponų ausyse ir kitose vietose.

Tas pats balsas išgąstingai rėkia ir keikiasi.

Kai mane ištraukia, šiaip taip išsineriu iš prilipusių džinsų ir sauja graibau dumblus iš visų skylių.

Anos vietos uždegimas – garantuotas.

Kitą rytą iš operuotos makšties gausiai teka geltonos gleivės. Fu! Bet pavyko: vėžiui per naktį išsikalė nauji ūsai.

Turiu pretekstą vėl siųsti žinutę savo chirurgui. Kaimo ginekologė čia nepadės.

Įgijau teisę lėkti į Vilnių.

Susikrovusi daiktus į kuprinę, einu pranešti masažuotojui, kad seansai nutraukiami. Bus gerai ir celiulitinės šlaunys.

„O aš šiandien kaip tik norėjau padaryti tau nemokamą medaus masažą. Ne tokį, kur daro valdiškai. Oda bus kaip šilkinė..." – meiliai sako pilvūzas.

Jo akutės gašliai žiba.

Įrodymas: tebesu geidžiama. Kas kad ne tų, kurių geistų mano pačios iškrypusi vėžininkės siela ir sužalotas kūnas.

Koks skirtumas, kada grįžti į Vilnių. Valanda vėliau ar anksčiau – manęs ten tikrai niekas nelaukia.

Šaltu veidu guluosi ant masažinio stalo. Mano snukis toks, kad masažuotojas kaip paralyžiuotasis pajėgus atlikti tik mechaninius judesius.

Net paglostyti meduota ranka nesugeba.

Širdyje tyčiojuosi. Taip tau ir reikia. Jei nori, galiu pasilikti čia dar savaitę: nemokamiems masažams sunaudosi kelis kibirus medaus, o mainais negausi nieko.

Už arimą veltui pelnysi vietą danguje.

Jo prakaito kvapas nepakenčiamas.

Vemsiu.

Masažuotojas tebeskambina man kiekvieną savaitę ir vis praneša aptikęs internete naują kremą, kuris tikrai sudegins man riebalus.

Tik aš turinti vėl kuo greičiau atvažiuoti į Druskininkus. Skubu važiuoti.

Grįžusi namo, velkuosi pas gydytoją į valdišką polikliniką.

Nesu tiek kuoktelėjusi, kad iš tikrųjų su savo gleivėmis išsiskėsčiau ant ginekologinės kėdės prieš tą, kuris man patinka.

Bet mano vaizduotė – kaip laukinis vėjas.

Kodėl jis negalėtų pasikviesti vyno po to, kai apžiūrės? Jei aš vis dėlto pasiryžčiau nueiti.

Kodėl negalėtų manęs parvežti? Iš kavinės, kur mudu išgersime vienintelę taurę vyno.

Daugiau aš nepajėgiu. Kodėl automobilis negalėtų sustoti tamsioje gatvėje prie mano namų, kur daug medžių?

Kuplios liepos kvepia ir viską uždengia.

Kodėl negalėčiau apsimesti sutrikusia laukiančia mergaite? Nežinančia, ar jau reikia atsidusti ir lipti lauk, kol dar neprasidėjo pavojingi dalykai, ar dar truputį palaukti.

Patamsyje juk nieko nematyti – nei blyškios odos, nei gailaus žvilgsnio. Nei to, kaip beprotiškai jo bijau.

Nenorėčiau skaudžiausiai įsipjauti paskutinį kartą gyvenime.

Jis nesako, kad jau atvažiavome. Neskuba atidaryti durų.

„Gal tų durų užraktas sugedęs, ir mes čia sėdėsime visą naktį?" – galvoju su viltimi, nes daugiau nėra ko viltis.

Vos neverkiu iš gėdos, kad nepajėgiu ryžtingai spustelėti durų rankenos ir eiti sau neatsigręždama.

Net iš išdavikės nugaros būtų matyti, kokios nerealios mano užmačios.

Negera tyla. Tiksi laikrodis.

Nors kokia muzika grotų, bet niekas man nepadeda. Pro šalį važiuoja policija ir įtartinai žiūri į langus, tarsi būtume kokie narkomanai.

Visas pasaulis šį vakarą – prieš mane, nusiteikęs demaskuoti ir kaltinti.

Ką dabar veikia mano duktė? Ar mano vyras žiūri televizorių?

Gydytojas atsargiai lenkiasi prie manęs. Tyli ir laukia. Viešpatie, jei tik žinočiau, kokio veiksmo iš manęs dabar tikimasi.

Jis nieko nedaro. Kvėpuoja visai greta manęs, ir aš užsimerkusi geriu jo alsavimą. Tegul šita akimirka niekada nesibaigia.

Kur ir kada aš esu patyrusi šią skambančios tylos būseną?

Absoliučiai pasitiki ir lauki. Galėtum užversti galvą ir atviromis akimis pažvelgti į viršų, nes niekas tavęs nenuskriaus.

Verčiau pabūsiu užsimerkusi.

Jaučiu, kaip jis tiesia ranką ir plaštaka nestipriai užkliudo man spenelius. Jie pasiruošę akimirksniu sudygti.

Ugnis siūbteli. Geidžiu jo taip, tarsi turėčiau keliais organais daugiau nei prieš operaciją.

Gatvė po liepomis skrieja naktyje kosminiu greičiu.

Ir staiga aš suklykiu: „Kaip tu drįsti, snargly?!"

Beviltiškas bandymas paskutinę akimirką gelbėti savo žemyn šleptelėjusį orumą. Tarsi visi kiti aplink mane būtų kvailesni.

Jis nustebęs atšlyja.

„Norėjau padėti tau atidaryti duris. Šita rankena užsikerta".

Va taip, teta.

Aš atsiprašau, atsisveikinu ir išlipu. Nieko neįvyko. Čia – civilizuotas pasaulis.

Mano nugara – tiesi kaip balerinos. Visada geriau vaikščioti pasitempusiai negu nuleistais pečiais.

Jeigu jis dabar mane pasivytų, įsitemptų į mašiną, jeigu aš sukelčiau jam orgazmą visais įmanomais būdais nepaisydama, kad mus už viešosios tvarkos pažeidimą šalia mano namų areštuos policija, manęs tai neišgelbėtų.

Gailesčio man nereikia.

Tik geismo ir trupučio švelnumo.

Nieko daugiau niekas niekam ir negali suteikti. Net nereikia turėti iliuzijų. Nes visi, sergantieji ir sveikieji, turi tik šią akimirką.

Ašaros neteka. Verkti nustojau penkiolikos metų.

Po pusmečio einu į Onkologijos institutą prišlapinti į buteliuką, duoti kraujo iš piršto ir palikti ten visų galimų išskyrų iš vietų, kurias dar tebeturiu.

Tyrimai blogi.

Vaškiniais veidais daktarai man aiškina, kad reikės dar kartą operuoti ir išpjauti vos vos daugiau. Konsiliumas.

Vieni sukriošę, kiti – neapsiplunksnavę. Pirmiesiems seniai nebeįdomu, antriesiems esu gera žaliava mokytis.

Mano draugo tarp jų nėra. Jo sritis – ginekologija, o šį kartą pjaustys inkstus ir žarnas.

Esu abejinga. Pasikarkit – man irgi neįdomu, ar jūs ten dar rasite, ką rakinėti su savo bukais peiliais.

Staiga išvystu smalsias akis ir strazdanotą nosį, įbestą tiesiai į mane. Jisai – mažas, kreivomis kojomis ir netaisyklingai įstatytais dantimis. Spokso mažomis akytėmis ir mirksi.

Kai nulipsiu nuo apžiūros stalo ir atsistosiu šalia, galiu garantuoti, kad nesieks man iki peties. O akis svilina tarsi galėtų parodyti mažiausiai du metrus.

Ima juokas. Šiepiuosi. Jis irgi krizena.

Ko vaipaisi, neūžauga? Tau būtų protingiauisia nusipirkti klumpes su platforma, kad operacinėje pasiektum stalą.

Bet jis jaučiasi kaip niekur nieko.

„Tavo vardas gražus. Kaip ir mano dukters", – sako šypsodamasis.

Kaip jam pavyko pasiguldyti ką nors, kad padarytų dukterį?

Daktariūkštis be ceremonijų suima mano ranką ir smarkiai trina tarp dviejų stiprių boksininko plaštakų.

„Tu tik nebijok. Aš tau pažadu – viskas bus gerai".

Tas piemuo leidžia sau elgtis kaip Dievas, dalijantis malones savo ganomoms avelėms.

Bet kas man rūpi.

Aš – abejingųjų karalystėje. Virš manęs, virš lašinių gretimoje palatoje ir kruvinų Onkologijos instituto klozetų trūkinėja bereikšmės frazės.

Visai nieko negalinčios pakeisti sergančios moters gyvenime.

Tas rupūžė nesitraukia ir vis rodo dantis. Atkreipiu dėmesį, kad kresnas, plačių pečių ir siauro užpakalio. Gal ir galėjo pasidaryti tą savo dukterį.

„Tavo pirštai liauni kaip mergaitės. Bet į operacinę geriau važiuok be žiedo – palik pasaugoti kokiam meilužiui".

Šiltos akys šaiposi iš manęs vidury baltos dienos.

Ar jis puskvailis, ar pusaklis, kad nemato, kokia suvytusi mano rankų oda. Toksai žabalius tarp prakiurusių žarnų dar neras, ką pjauti.

Jis apdovanoja mane dar kokiomis penkiomis ar šešiomis nesąmonėmis ir pasitikinčio antino eisena krypuoja pas kitą vėžininkę, viksnodamas į šalis siauru užpakaliu.

Pritemdytas nykus ligoninės koridorius. Ratukai beldžia į nelygius linoleumo sudūrimus. Ilgas kaip visas gyvenimas bilsnojantis kelias į operacinę.

Ratukus stumiančios seselės neguodžia – jos įpratusios nuvežti mėsgalį, o parsivežti karstą.

Man prileista raminamųjų. Aš ir taip rami kaip belgė.

Pirmą kartą gyvenime gyvenu labai gerai. Manęs nekankina jokios būsenos, kurias reikėtų analizuoti. Esu visais patenkinta.

Įžiebia skaisčią šviesą. Bado venas. Jungia lašines. Veidai su kaukėmis lenkiasi virš manęs.

Labanakt. Sėkmės jums manęs nepapjauti.

Paskutinę akimirką prieš užsimerkdama išvystu virš savęs žiburiuojančias akis. Kresnasis antinas. Svaido kipšiuko kibirkštėles, smagiai mirksi.

Gal būtų ir nieko su juo pabandyti, bet neturiu nė vieno tam tinkamo organo.

Kai per paskutinę operaciją, prieš galutinai numarindami, man pjaus galvą, aš ir tada svarstysiu, ar seksualiai pajėgus tas, kuris pjauna.

Šitas laikas, kai sužinojau, kad mirtinai sergu vėžiu – pats puikiausias mano gyvenime. Galutinai nustojau bijoti žmonių ir savo nevaldomų postūmių.

Pagaliau esu laiminga.

Gal ir tavo širdis naktimis neplyšta iš skausmo, mano palatos drauge Vivina?

Tai – paskutinė mintis užmiegant. Amen.

Nemirštu tiktai todėl, kad negaliu tverti smalsumu, kas bus, kai pasirodys mano knygutė vaikams.

Man, o ne mano herojei, priskirs miegojimą su tėvu.

Vaikų tvirkinimą. Išskydusius moralinius kriterijus. Žurnalistinį pasileidimą.

Jeigu per duris neišspirs vyras, gal nors šefas išmestų iš darbo. Bet jie abu – tikri gyvatės – turi per daug košės galvoje, kad pasiduotų numirėlės provokacijoms.

Kokia laiminga jausčiausi, jei nors pusė mano aprašytų nuodėmių priklausytų man. Bent būčiau pagyvenusi.

Iš tiesų buvau tiktai drovi, kaip pasakė penkiasdešimtmetis mano kurso draugas, pernai sutiktas gatvėje. Daugiau – jokio epiteto.

Liūdna – ne kažin ką pasiekiau.

Bet gal dar yra vilčių atitaisyti reikalą? Jeigu man skirta šiek tiek laiko, būtinai padarysiu nors tas nuodėmes, kurios dar mano jėgoms.

Kad tik atsikelčiau. Kad tik atsikelčiau.

Reanimacijos palatoje pramerkiu vieną akį. Kukū! Ar dar yra gyvųjų?

Statmenai pakeliu vieną koją. Kyla.

Melsvai uniformuota kvaiša rėkia – plyš siūlė. Neplyš, jeigu širdis neplyšo per tiek metų.

Iškeliu į viršų ir antrą koją.

Beveik žvakė – kaip sporto salėje. Operacinės narkotikai suteikia jėgų žygdarbiams.

Iš paskutiniųjų iškeliu į viršų dubenį ir laikau įsirėžusi ant virpančių teliukės kojų. Kaime mačiau besipinančias ką tik atsivesto veršiuko kojas. Kaip tik tokios.

Girdžiu, kaip telefonu man kviečia gydytoją. Skundžiasi, kad nesusitvarko.

„Tu neatidi, – sakau slaugytojai. – Žiūrėk į pultą man už nugaros: spaudimas krinta".

Ji kudakuodama lekia prie manęs bloškusi ragelį kaip pakliuvo.

Velniai rautų, pavargau. Grimztu į karštą nesveiką miegą.

Kai atsibundu, virš mano veido palinkęs chirurgas ginekologas, kurį tebeketinu įsimylėti, jeigu tik liksiu gyva.

Matyt, šiandien jo eilė budėti per penkis chirurgijos skyrius su keliasdešimčia ligonių.

Tai kodėl rymo virš manęs? Ar mano reikalai tokie blogi?

„Marš iš čia, – murmu. – Ar nežinai, kad tuoj išeis knygutė vaikams, kurioje aš pripaisčiau visokių nesąmonių.

Tave pasmerks uošvė ir išvarys žmona. Daktarų klanas neapgins, nes susipainiojai su paciente..."

Jaučiuosi labai sąmojinga.

Tai jis dar neparašytą kūrinį praminė knygute vaikams, kai po pirmosios operacijos ant mano pilvo išvydo nešiojamąjį kompiuterį. Ant pooperacinės siūlės.

Kokia nepagarba kruvinai naujam pusmetriniam pjūviui.

Išpūtė akis ir griežtai pareikalavo nukelti kompiuterį nuo supjaustyto pilvo.

Kelk pats, jeigu tau reikia. Mane kompiuteriai ir jauni gydytojai įkvepia.

Tyčia buvau didžiosiomis raidėmis ekrane prirašiusi nesąmonių, kad netektų žado, kai įsispitrys į ekraną.

Bet jis neskaito. Nubogina kompiuterį man nuo pilvo

ant palangės akmeniniu veidu ir palinki, kad pavogtų, kai pajėgsiu nušliaužti į tualetą.

Patinka man vis labiau.

„Ar tau neįdomu?"

„Knygučių vaikams neskaitinėju. Išaugau iš to amžiaus".

Ir liepia slaugytojai atnešti man „Xanax". Raminamųjų tablečių nuo hiperaktyvumo.

Labai gerai – geriau nebūna. Tapsi puikiu romano personažu – galėsi paskui aiškintis visam Vilniui, kad manęs neatsimeni.

Bet nepamirši niekada.

Jis pataria man truputį pamiegoti.

Išeidamas iš palatos mirkteli ir pasukioja pirštą sau prie smilkinio.

Kvakšt man, o jis – protingas.

Vaikuti. Jei dvėsdama įsigeidžiau linksmintis, orkestras gros, nors visi aplinkui čiaudėtų.

Visą pusmetį iki antrosios operacijos savo knygiūkštę rašau atkakliai erzindama chirurgą. Linksminuosi neleisdama jam ramiai gyventi – bent nenuobodžiaus.

Paskambinu ir pakviečiu kavos – jis neina.

Pasiūlau bilietą į džiazo garsenybės koncertą – jis turi valyti savo vaikams užpakalį.

Sakau, kad būtų neblogai paplaukioti ežere, o jis atrėžia, kad nemoka plaukti.

Sąlu nuo šitų nemandagių jo mostų daug labiau, negu apsalčiau, jeigu pats sugalvotų, kad nori su manimi nuveikti ką nors prašmatnaus.

Bet kurio amžiaus vyriškiai vengia tik nuobodžių arba labai pavojingų moterų.

Jeigu nekelčiau jokio pavojaus, ramiai pliumptų su manimi tą kavą ir tauzytų niekus kaip ir visi su visais aplinkui.

Tu teisus: nepasikliauk. Daugiau nesu drovi. Galiu sujaukti viską aplinkui.

Aš ir karste dar būsiu pavojinga – juk neuždirbi tiek, kad išpirktum visų knygučių vaikams tiražą.

O kokių dar galėčiau prirašyti, jeigu ilgiau pasivartysiu onkologijos ligoninėje!

Bet nereikės: slaugytojos iš nuobodulio pogarsiai skaitinėja diagnozę – kiek vėžio ūsų daktarai antrąkart rado mano pilve – nekreipdamos dėmesio, ar mane įveikė miegas.

„Antros operacijos jai nereikėjo daryti – beviltiška".

Girdžiu, viską girdžiu, todėl pajėgiu labai kokybiškai mąstyti.

Blogiausia, kas tau nutiks, mano daktare, – niekada tarp tavo vėžininkių nepasitaikys pamišėlės su fantazija, kuri pranoktų manąją.

Taip pat – ir tarp sveikų moterų.

Neaiškink, kad jau radai ir tau nereikia – visiems visada reikia. Kiekvieną – net pačią komfortabiliausią akimirką. Ir beviltiškiausią – nė kiek ne menkiau reikia.

Vyrams ir moterims. Nuolat. To, ko dar nebuvo.

Bet galėtų būti.

„Tavęs laukia ilgas ir labai gerai sutvarkytas gyvenimas. Daug nykesnis už šitą blausią šviesą reanimacijos palatoje", – šnabždu.

„Nesulauks – persidirbęs mirsiu sutrikus širdies ritmui", – sąmokslininko tonu atsako jis pakuždomis ir ant pirštų galų stypčioja lauk iš reanimacijos skyriaus.

Skubiai pakvietė į kitą skyrių. Kažkas miršta.

Ačiū Dievui, išėjo. Pernelyg pavargau vaidinti suintere-
suotą moterį. Pagyvenau droviai, bet sočiai. Labanakt. Da-
bar jau iš tiesų atsisveikinu.

Prie karsto kalbų sakyti nebūtina – galiu pradėti kikenti.

TURINYS

Urbonaitė, Audronė
Ur27   Posūkyje – neišlėk : novelių romanas / Audronė Urbonaitė. –
Vilnius : Tyto alba, 2005. – 124[4] p.

ISBN 9986-16-437-0

Pirmoji žurnalistės Audronės Urbonaitės knyga – drąsus, ironiškas,
atvirumu sukrečiantis novelių romanas. Moters potyriai ir išgyveni-
mai čia ne plėtojami, o tiesiog fiksuojami – lakoniškai, tvirtai, be gai-
lesčio ir nuolaidų sau.

UDK 888.2-3

AUDRONĖ URBONAITĖ

POSŪKYJE – NEIŠLĖK

Novelių romanas

Viršelio dailininkė *Viktorija Ivinskienė*

SL 1686. 2005 08 08. 4,02 apsk. l. l. Užsakymas 1385
Išleido „Tyto alba", J. Jasinskio 10, LT-01112 Vilnius, tel./faks. 2497453,
tytoalba@taide.lt
Spausdino UAB „Vilniaus spauda", Viršuliškių skg. 80, LT-05131 Vilnius